Cocina fácil
para alérgicos

PABLO MURILLO LÓPEZ

Cocina fácil
para alérgicos

Introducción médica
por la doctora Susana Monzón Ballarín

Alianza Editorial

©   Pablo Murillo López, 2012
©   de la introducción: Susana Monzón Ballarín, 2012
©   Alianza Editorial, S.A., Madrid, 2012
    Calle Juan Ignacio Luca de Tena, 15; 28027 Madrid; teléf. 91 393 88 88
    www.alianzaeditorial.es
    ISBN: 978-84-206-0838-9
    Depósito Legal: M. 13.194-2012
    Printed in Spain

SI QUIERE RECIBIR INFORMACIÓN PERIÓDICA SOBRE LAS NOVEDADES DE
ALIANZA EDITORIAL, ENVÍE UN CORREO ELECTRÓNICO A LA DIRECCIÓN:

alianzaeditorial@anaya.es

Índice

Prólogo

«Para comer, como en casa en ninguna parte...»
Para una persona que padezca alergias alimentarias,
más que para cualquier otra, ésta es una gran verdad.

La recopilación de recetas, junto con la introducción teórica que debemos a la doctora Susana Monzón -especialista en Alergología del Consorcio Aragonés de Salud-, es una clara demostración de esta máxima del saber popular. Esto no es un libro de cocina, no soy cocinero, es sólo una colección de recetas de variado origen, agrupadas, ordenadas, sistematizadas y listas para poder ser preparadas sin grandes complicaciones por cualquiera que se haya metido en una cocina alguna vez.

Cuando se diagnostica una alergia alimentaria, sobre todo a un niño, se suele entrar en un mundo de desconocidas pero grandes proporciones. Los padres y el propio interesado tienen que aprender a leer ingredientes en pequeñísimas etiquetas arrugadas, a investigar de forma detectivesca sobre procesos de fabricación de productos alimentarios, a interrogar a camareros, cocineros y dependientes de comercio, a estudiar sobre el origen de los alimentos, aditivos y emulgentes hasta alcanzar un «estado de conocimiento» que a partir de esos momentos se convierte en un hábito a aplicar en la vida diaria. Una vez alcanzado ese estado, no hay ningún problema digno de mención para llevar una alimentación absolutamente normal, y la persona alérgica y su familia no conceden demasiada importancia a este hecho.

En el caso de mi familia alcanzamos ese estado de gracia hace bastantes años, más o menos cuando mi hija tenía unos 3 años; ya tiene 19.

Pretendo recoger de manera ordenada muchas de las cosas que nos tocó aprender a base del método de «prueba y error». No sólo recetas, sino también consejos, buenas prácticas, vocabulario, experiencias, que tratan de ayudar a que otros no tengan que andar el mismo camino o a que lo hagan de una forma más descansada.

Al poco tiempo de haber detectado la alergia de mi hija al huevo, a los frutos secos y al pescado, mi esposa y yo descubrimos que la convivencia con esta realidad no era tan complicada como podíamos haber pensado al principio. Algún susto tuvimos, por culpa de irresponsables que creen más importante vender una ensaimada a un niño que pararse a pensar en la composición de un alimento. Pronto te queda claro que la precaución tiene que ponerla siempre el paciente o su familia y que en caso de duda, siempre es mejor dejar pasar la ocasión.

En las páginas que siguen, encontrarás una útil y breve introducción muy clarificadora sobre qué son y qué no son las alergias alimentarias, consejos y buenas prácticas, además de información médica elaborada por la doctora Monzón, y un variado recetario agrupado en función de si se trata de primeros platos, segundos, postres o salsas. Incluso hay alguna receta de papillas para bebés.

En el caso de mi familia, cuando nos enfrentamos al reto de tratar de conseguir una cocina nutritiva, rica y variada, decidimos que la forma más fácil e integradora de actuar era tratar de conseguir menús comunes para todos los miembros. Comenzamos a recopilar recetas, variaciones, trucos, y llegamos a tener una buena colección de platos caseros. Buscamos algo editado sobre el tema y descubrimos que lo poco que había publicado en el mercado editorial estaba confeccionado por autores anglosajones y respondía a sus gustos y hábitos culinarios. Esa es otra de las razones que me movieron a completar esta lista adaptada a los hábitos de dieta de los españoles. En España, según las escasas estadísticas que se poseen, hay unas 700.000 personas con alguna alergia alimentaria, casi el 2% de la población; y la proporción va en aumento.

Deseo que las ideas, consejos y recetas de esta obra os sean de la misma utilidad que lo son para nosotros.

PABLO MURILLO LÓPEZ
Zaragoza, 25 de octubre de 2011

PRIMERA PARTE

Introducción

SUSANA MONZÓN BALLARÍN
Doctora en Medicina
Especialista en Alergología

Palabras preliminares

Cuando hace un tiempo se puso en contacto conmigo Pablo para solicitar mi colaboración en este libro, me pareció una idea maravillosa. A diario valoro en mi consulta a pacientes con alergia alimentaria con intensa preocupación; ésta sobre todo se percibe en los padres de mis pacientes menores de edad, dado que no es nada fácil realizar una correcta dieta de evitación de alérgenos y no por mala información o por mal cumplimiento, sino por dificultades que son más sociales que otra cosa.

Soy alergóloga y tengo conocimiento médico de lo que cada paciente debe hacer, pero hay cosas que no se aprenden en los libros de medicina. Hay muchas cosas no estrictamente médicas que nuestros pacientes desean saber para hacer su vida más llevadera. Yo sé cuándo un niño no debe comer huevo, las denominaciones del mismo en los etiquetados y los alimentos que con más frecuencia lo pueden contener, pero cuando una mamá me pregunta: «Entonces mi hijo no puede comer croquetas porque ¿cómo las rebozo? ¿Y el bizcocho casero o rosquillas que hace su abuelita? ¿Y los helados? ¿Y en los cumpleaños cómo lo hago?». Estas son sólo preguntas habituales para las que la medicina estrictamente no tiene una «buena respuesta»; la respuesta médica sería un rotundo «no se puede comer huevo». Es la consulta diaria, la participación en talleres y foros con pacientes y un largo sinfín de cosas, lo que me ayuda a poder comprender cada día mejor la preocupación natural de mis pacientes y a su vez, me hace preocuparme a mí. Es encontrar a alguien, como Pablo, que quiere publicar sus recetas para que otras personas se beneficien de ello, lo que me sirve como acicate para dedicarle, una vez que he acostado a mis niños, un tiempo nocturno a escribir estas líneas de un libro que espero pueda servir de ayuda a mucha gente.

¿Qué es la alergia?

La alergia es una reacción inesperada y exagerada del sistema inmune frente a una sustancia, normalmente inocua (denominada alérgeno), que es percibida por éste como un invasor peligroso. El sistema inmunológico debe cumplir una misión de defensa del organismo y generalmente protege al cuerpo de sustancias extrañas. La reacción alérgica se desencadena cuando tras detectar un alérgeno, éste se quiere eliminar; el sistema inmune produce anticuerpos, conocidos como inmunoglobulina E (IgE), que tratan de unirse a los alérgenos para neutralizarlos y eliminarlos, provocando reacciones en cascada, con la participación de otras células del organismo (mastocitos, basófilos, linfocitos, etc.) y la liberación de múltiples sustancias, generando diversos síntomas de los que luego hablaremos. La sustancia principal liberada en una reacción alérgica se denomina histamina.

1. Alergia alimentaria: definición y conceptos

La alergia alimentaria se considera como la reacción adversa a alimentos mediada por mecanismos inmunológicos.

En 1984 el Comité de Reacciones Adversas a Alimentos de la Academia Americana de Alergia e Inmunología Clínica publicó un manual en el que se clasificaban las reacciones adversas a alimentos en reacciones alérgicas y reacciones de intolerancia.

En 1995 el Subcomité de Reacciones Adversas a Alimentos de la Academia Europea de Alergia e Inmunología Clínica (EAACI) elaboró un documento de opinión en el que se propone una clasificación de las reacciones adversas a alimentos, basándose en los mecanismos implicados en dichas reacciones (Figura 1). Posteriormente ha habido una nueva clasificación, pero creo que ésta es más clara para el entendimiento general y en ella me voy a extender.

Figura 1. Clasificación de las Reacciones Adversas a Alimentos de 1995.

Una reacción adversa a un alimento se define como cualquier respuesta clínicamente anormal que se pueda atribuir a la ingestión, contacto o inhalación de un alimento o de sus derivados o de un aditivo contenido en el mismo. Las reacciones adversas podemos dividirlas en dos grandes grupos:

1. REACCIONES TÓXICAS: son aquellas que aparecen en cualquier sujeto si ingiere la dosis necesaria para causarla. Se subdividen a su vez en:

   a) *Intoxicaciones:* son reacciones adversas motivadas por la exposición a sustancias tóxicas vehiculizadas por los alimentos. Pueden ser:

   De origen natural
   - Vegetal: por ejemplo (p.e.) neurotoxinas de la almorta
   - Animal: p.e. escombroidosis derivada de histamina de los pescados
   - Microbiológico: p.e. neurotoxina del *Clostridium botulinum*

   Por contaminación
   - Químicas: insecticidas, metales pesados

   b) *Toxiinfeciones:* los alimentos están contaminados por agentes biológicos (bacterias, virus, parásitos) o sus toxinas. Esto ocurre con la salmonelosis, brucelosis, disentería amebiana, etc.

En todas ellas, los síntomas suelen aparecer a partir de las dos horas de la ingesta (diarrea, fiebre, vómitos, dolor abdominal de tipo cólico). Pueden producirse de manera individual o de manera colectiva, en función de quien haya comido el alimento. Siempre es necesaria la atención médica y es muy importante la identificación del tóxico ingerido.

2. REACCIONES NO TÓXICAS: son respuestas anormales tras la ingestión de un alimento que en sí mismo es inocuo; el problema depende del individuo que lo ingiere. Se subdividen en:

a) **No inmunológicas/intolerancias**
   - Intolerancia a la lactosa (déficit de lactasa)
   - Favismo (déficit de G-6-fosfato deshidrogenasa)
   - Acción de metilxantina del chocolate, de la tiramina del queso etc.
   - Fenilcetonuria y otros defectos genéticos en el metabolismo de los aminoácidos

La intolerancia a la lactosa es la más frecuente de este grupo. Consiste en un déficit de una enzima denominada lactasa, que se encuentra en la mucosa intestinal y no permite la degradación de lactosa en glucosa y galactosa, por lo que el acumulo de lactosa al pasar al intestino grueso produce, entre los 30 minutos y las 2 horas tras la ingesta, flatulencia, dolor de tipo cólico y diarrea, desapareciendo entre 3-6 horas más tarde. Existe una forma adquirida que aparece a partir de los 3-5 años y permanece toda la vida, y una forma transitoria tras una infección gastrointestinal o malnutrición. El diagnóstico se establece por la historia clínica o un test de aliento.

b) **Inmunológicas**
   - No mediadas por IgE: enfermedad celiaca y gastroenteropatías
   - Mediada por IgE: alergia alimentaria

Como ya hemos explicado, las reacciones alérgicas a alimentos son aquellas en las que interviene el sistema inmunológico. Las más frecuentes son las mediadas por IgE. Estas reacciones tienen varias fases. La primera se denomina fase de sensibilización, y en ella, tras la exposición al alimento (habitualmente por vía digestiva, pudiendo ser también por contacto directo o por inhalación), el sistema inmune procesará el alérgeno, generando IgE específica frente al mismo, pero sin desencadenar ninguna manifestación clínica. Posteriormente habrá una fase efectora, en la que tras un nuevo contacto con el alérgeno se desencadenará la respuesta inmunológica en cascada, liberándose numerosas sustancias, como la histamina, cuya acción provocará diversos síntomas de los que hablaremos más tarde.

2. Epidemiología de la alergia alimentaria

La alergia a los alimentos es un tema de actualidad en los países occidentales. Al igual que sucede con otras enfermedades alérgicas, su prevalencia parece estar en aumento. En EE.UU. la alergia a alimentos mediada por IgE afecta a entre un 3,5 y un 4% de la población. Respecto a la edad, la alergia alimentaria es más frecuente en los niños, principalmente en los primeros años de vida, afectando a un 6% de menores de 3 años, y en los adultos se sitúa en el 2%.

En Europa los estudios reflejan una prevalencia de entre el 1,4 y el 2,4% en adultos y entre el 0,3 y el 7,5% en niños, sobre todo en menores de 3 años. En 2005 se realizó en España un estudio epidemiológico multicéntrico denominado Alergológica 2005, auspiciado por la Sociedad Española de Alergología e Inmunología Clínica, en el que se recogió que la alergia alimentaria era la quinta patología alergológica en orden de frecuencia de las diagnosticadas por los alergólogos en nuestro país, y la prevalencia de alergia alimentaria entre los pacientes que acudían por primera vez a un alergólogo era del 7,4%. En 1992 se hizo otro estudio en España (Alergológica 92) y la prevalencia entonces era del 3,6%, por lo que comparando ambas, vemos que la prevalencia de la alergia alimentaría se ha duplicado en poco más de 10 años. En Aragón la prevalencia de alergia a alimentos ha aumentado hasta 3,7 veces.

Dada la dieta alimentaria española, los alimentos implicados son diferentes a los de EE.UU. y además varían dependiendo de la edad de los pacientes. Estas diferencias reflejan, por un lado, la cronología en la introducción de los alimentos en la dieta, y por otro lado, la diferente evolución natural de la alergia a unos y otros alimentos. En los niños menores de 2 años la leche y el huevo son las dos causas principales de alergia alimentaria. A partir de los 2 años, según se amplía la dieta, la lista de alimentos que producen alergia también aumenta. Comienzan a aparecer como causa de prevalencia de reacciones alérgicas alimentarias, el pescado, las legumbres, los frutos secos, frutas, mariscos y vegetales, entre otros.

3. Historia Natural de la alergia alimentaria

La Historia Natural de la alergia alimentaria hace referencia a la evolución de esta patología. La alergia alimentaria es habitualmente superada con el paso del tiempo en los niños, pero se desconoce el mecanismo por el cual se adquiere tolerancia, es decir, no se tiene ya ninguna reacción alérgica con ese alimento. Entre los diferentes factores apuntados por varios autores, se encuentran no sólo factores individuales, sino también el tipo de alimento implicado. En esta Historia Natural también tenemos que contemplar el lado opuesto, es decir, que puedan ir apareciendo nuevas alergias alimentarias. En la infancia, durante los 3 primeros años de vida, el 85% de los niños con alergia alimentaria pierden la sensibilidad a la leche y el huevo, tomándolos posteriormente sin ningún problema. En los adultos las alergias alimentarias suelen ser persistentes y no desaparecen, permaneciendo para toda la vida.

Conocemos que la alergia alimentaria suele desaparecer en la infancia, pero también sabemos que puede ser una manifestación de lo que denominamos «marcha alérgica». Ésta se denomina así porque en ocasiones vemos una sucesión de patologías alérgicas que observamos en orden cronológico, comenzando en el nacimiento, con la dermatitis atópica y posteriormente apareciendo luego alergias alimentarias y respiratorias sucesivamente.

4. Manifestaciones clínicas (síntomas) de la alergia alimentaria

La sintomatología provocada por una alergia alimentaria puede aparecer a cualquier edad, desde las primeras semanas de vida, hasta la edad senil y se puede manifestar como afectación de uno o varios órganos o sistemas. Hay que tener en cuenta además varias consideraciones:

— Un paciente puede haber tolerado sin problemas un alimento durante días, semanas o años antes de presentar una reacción alérgica con ese mismo alimento. No «nacemos alérgicos, sino que nos hacemos alérgicos». Ya hemos explicado además que hace falta una fase previa cuando contactamos con un alérgeno en la que no nos ocurre nada y es posteriormente cuando tendremos la reacción.

— No existen manifestaciones clínicas específicas para cada alimento y un mismo alérgeno alimentario no produce siempre la misma sintomatología.

— Los síntomas habitualmente se producen de forma inmediata (antes de 4 horas tras la ingesta del alimento). La aparición de síntomas muy tardíos con tolerancia posterior al alimento o la aparición de síntomas que no son con los que conocemos que suceden en las reacciones mediadas por IgE, van en contra del diagnóstico actual de alergia alimentaria.

Los síntomas que aparecen en una reacción alérgica IgE-mediada no tienen por qué darse en su totalidad de manera conjunta y pueden revestir más o menos gravedad en función de los que se presenten. Éstos, agrupados por órganos pueden ser:

SIGNOS Y SÍNTOMAS CUTÁNEOS:
- Urticaria
- Angioedema (inflamación)
- Eritema
- Eccema / D. atópica
- Dermatitis de contacto

SÍNTOMAS GASTROINTESTINALES:
- Síndrome de alergia oral: prurito orofaríngeo y leve edema labial (en los bebés el rechazo es un síntoma muy frecuente como consecuencia del prurito oral, que ellos no nos pueden comunicar)
- Dolor epigástrico o abdominal de tipo cólico
- Diarrea
- Náuseas
- Vómitos
- Reflujo

SÍNTOMAS RESPIRATORIOS:

- Prurito nasal
- Secreción nasal acuosa
- Congestión nasal
- Estornudos
- Disnea (dificultad para respirar)
- Tos
- Sibilancias

CARDIOVASCULAR:

- Mareo
- Hipotensión/shock

ANAFILAXIA:

La anafilaxia es una reacción alérgica inmediata en la que participan múltiples órganos y sistemas a la vez, produciéndose como consecuencia una situación grave, que debe ser reconocida y tratada con la mayor brevedad posible. Al ser una reacción multisistémica, los síntomas que aparecen al menos abarcan la afectación de dos órganos, pudiendo además aparecer alteraciones cardiovasculares con hipotensión, pérdida de consciencia y shock.

Esta reacción, que no solamente puede desencadenarse por una alergia alimentaria, tiene una epidemiología, desencadenantes, clasificación y tratamiento propios, por lo que habitualmente tiene un capítulo dedicado a ella de forma exclusiva en cualquier tratado de Alergología.

5. Diagnóstico de la alergia alimentaria

El diagnóstico de una alergia alimentaria es fundamental para realizar un tratamiento adecuado y evitar dietas innecesarias que pueden ocasionar trastornos familiares, sociales y nutricionales.

El objetivo fundamental en el diagnóstico de las reacciones alérgicas a los alimentos es el establecimiento de una asociación causal entre el alimento y las manifestaciones clínicas referidas por el paciente, y la identificación del mecanismo inmunológico subyacente.

Historia clínica

La historia clínica es fundamental para identificar el alimento responsable de la sintomatología y ésta determinará las posteriores pruebas diagnósticas a realizar para tratar de confirmar el mecanismo inmunológico implicado. La historia clínica debe abordar de forma concreta y meticulosa datos referentes al cuadro clínico, al alimento implicado y a las características personales y circunstanciales del paciente. En ella se preguntará sobre la descripción rigurosa de la sintomatología presentada, el tiempo transcurrido entre la ingestión del alimento y la aparición de los síntomas, los posibles alimentos implicados, la ingesta posterior de alimentos que comparten alérgenos con el sospechoso de desencadenar la reacción y otros factores externos muy importantes, como la realización concomitante de ejercicio físico o la toma de algún fármaco que pudieran desencadenar cuadros alergológicos específicos.

Cuando el alimento sospechoso no ha sido identificado claramente, se puede elaborar un diario dietético en el que el paciente debe apuntar los alimentos que toma cada día y los síntomas que presenta. En los lactantes se debe realizar un diario de la dieta materna, porque las proteínas de los alimentos pueden pasar a la leche materna.

También es muy importante conocer la preparación o manipulación del alimento, dado que la alergenicidad de algunos alimentos es diferente si se ingiere crudo o cocinado o si se come completo o sólo parte de él (fruta pelada o con piel, sólo clara o yema de huevo...). Debe recogerse también si la manipulación o inhalación del alimento desencadena síntomas, como por ejemplo, los vapores de cocción de algunos alimentos que pueden producir urticaria y/o síntomas respiratorios.

Debemos además investigar sobre los posibles ingredientes ocultos existentes en las comidas. Por ejemplo, los alimentos pueden estar contaminados por otro alimento desde la cadena de fabricación o un alimento puede dar reacción al haber estado en contacto con otro o al haber sido cocinado en una plancha que no se ha limpiado previamente, teniendo restos del alimento cocinado antes. Los productos manufacturados pueden llevar alimentos «ocultos» para enriquecer su contenido proteico, elaborar el alimento, enriquecer las salsas o aumentar el sabor.

Prueba cutánea de prick

La prueba intraepidérmica o prick-test es el método de elección para explorar la sensibilización mediada por anticuerpos IgE frente a un alimento en los pacientes con sospecha de alergia alimentaria. Esta prueba se realiza siguiendo una normativa aceptada internacionalmente. Consiste en depositar en la cara interna del antebrazo del paciente diferentes extractos alergénicos, que vienen preparados comercialmente, o el propio alimento en sí y puncionar con una lanceta los mismos, realizando una lectura a los 15 minutos. En este tiempo si un paciente es alérgico a alguno de los alimentos depositados, se produce una pequeña reacción alérgica local, apareciendo un habón en la zona de punción de al menos 3 mm de diámetro. Estas pruebas tienen que realizarse por alguien adiestrado en su interpretación, colocando un control positivo y un control negativo para valorar falsos positivos y falsos negativos que podrían aparecer.

Determinación de IgE específica en suero

Esta determinación se considera complementaria a las pruebas cutáneas, dado que es una técnica más cara, los resultados no están disponibles en el momento y puede tener falsos positivos en la alergia alimentaria. En la práctica clínica las pruebas cutáneas y la determinación de IgE específica son pruebas que se utilizan de forma conjunta.

Su rentabilidad diagnóstica es buena para leche, huevo, cacahuete y pescado y más baja para frutas y vegetales. En el seguimiento de los niños alérgicos a leche y huevo se ha encontrado una relación entre los niveles de IgE específica al alimento y el desarrollo de tolerancia al mismo. Por lo tanto se puede considerar de utilidad en la monitorización de los niveles de IgE específica a lo largo del tiempo para determinar la oportunidad o no de realizar una prueba de provocación controlada.

Prueba de provocación controlada con alimento

Esta prueba es el procedimiento definitivo para confirmar o descartar el diagnóstico de alergia a un alimento. Ésta se debe realizar en centros que dispongan de personal entrenado y equipos de reanimación para el control y tratamiento de posibles reacciones graves, y tiene unas indicaciones y contraindicaciones claras, que todo alergólogo conoce. Se realiza fundamentalmente para establecer o excluir el diagnóstico de alergia a alimentos antes de instaurar una dieta de exclusión prolongada, para valorar la aparición de tolerancia a lo largo de la evolución de enfermedad (por ejemplo en niños con alergia a leche y/o huevo) o cuando se detecta una sensibilización a un alimento (una prueba cutánea positiva) y no conocemos si el paciente tolera el mismo o no, entre otras.

La prueba de provocación requiere de información y obtención de un consentimiento informado por parte del paciente y/o sus tutores.

6. Principales alérgenos alimentarios

Tal y como hemos comentado con anterioridad, según el último estudio de prevalencia realizado en España (Alergológica 2005), los principales alérgenos alimentarios hasta los 2 años son el huevo, la leche y en tercer lugar el pescado. Conforme vamos avanzando en edad los alimentos más frecuentemente implicados son: legumbres, frutos secos, marisco, frutas y hortalizas. Vamos a hablar más específicamente de los alérgenos implicados en cada uno de ellos.

Alergia al huevo

Los huevos de aves, y entre ellos el huevo de gallina, son una fuente excelente de proteínas. La introducción pautada de este alimento en la dieta, que se realiza alrededor de los 12 meses, hace que el debut de los síntomas y su frecuencia sean máximos a esta edad. La alergia al huevo es la causa más frecuente de alergia alimentaria en los niños.

Los dos componentes del huevo, clara y yema, pueden provocar alergia, si bien la clara, por su mayor contenido proteico, tiene mayor importancia causal. En la clara de huevo existen fundamentalmente cuatro proteínas alergénicas: ovoalbúmina, ovomucoide, conalbúmina y lisozima. La ovoalbúmina y el ovomucoide son parcialmente termoestables y son los alergenos más relevantes. La conalbúmina y la lisozima son menos estables al calor, pero su interés no es despreciable, dado que sobre todo la lisozima se encuentra como alérgeno oculto en otros alimentos (quesos) y algunos medicamentos.

La yema de huevo es menos alergénica que la clara, aunque contiene la albúmina sérica o alfa-livetina, que es la responsable del llamado síndrome ave-huevo (alergia respiratoria a plumas de pájaros y alergia alimentaria a la yema de huevo).

Los pacientes que padecen alergia al huevo de gallina, habitualmente la tienen también a huevos de otras aves: codorniz, pavo, pato, etc.

En los pacientes alérgicos a la clara de huevo con frecuencia se observan pruebas positivas frente a la carne de pollo, pero solamente el 1% es realmente alérgico a ésta.

Alergia a la leche de vaca

La leche es la única alimentación de los mamíferos recién nacidos. La lactancia materna es el alimento específico, y por tanto, el más adecuado para el niño durante el primer semestre de vida. En ocasiones, la lactancia materna no puede establecerse o mantenerse y se sustituye total o parcialmente por fórmulas adaptadas de leche de vaca, que son muy similares a la leche humana.

Las proteínas alergénicas de la leche las podemos dividir en caseínas, que representan el 80% del total y en otras proteínas del suero (20% restante), donde encontramos como principales proteínas alergénicas la Alfa-lactoalbúmina, la Beta-lactoglobulina, otras albúminas séricas y la lactoferrina. La caseína y la Beta-lactoglobulina (proteína ausente en la lactancia materna) son las dos alérgenos responsables de la denominada alergia a proteínas de leche de vaca.

La leche de otros rumiantes, como la cabra y la oveja, contienen proteínas con estructura y propiedades biológicas semejantes a la de vaca, por lo que los pacientes alérgicos a la leche de vaca lo son también al resto de leches y la dieta que se les implanta a dichos pacientes está exenta de lácteos en general. Los pacientes alérgicos a proteínas de leche pueden tener alergia a la carne de vaca con una prevalencia muy baja (3-10%), y ésta se reduce considerablemente cuando la carne está bien cocinada porque la seroalbúmina bovina, que es la proteína responsable de la alergia, pierde su alergenicidad al someterse a temperaturas altas.

A menudo la gente confunde la alergia a la leche con la intolerancia a la lactosa, pero estas dos enfermedades no están relacionadas. La alergia a las proteínas de la leche es un problema del sistema inmune como hemos explicado con anterioridad, mientras que la intolerancia a la lactosa está producida por un déficit enzimático de lactasa, que sirve para descomponer la lactosa de la leche.

Alergia a los pescados

El pescado representa un importante elemento nutritivo por su alto contenido en ácidos grasos esenciales y vitaminas; sin embargo, el pescado es un potente alérgeno alimentario. Ocupa el tercer lugar en incidencia en la alergia alimentaria. Las proteínas responsables de la mayoría de alergia a los pescados son las parvalbúminas. Estas se encuentran en el sarcoplasma de peces y anfibios y son proteínas termoestables, es decir, resistentes a altas temperaturas.

Habitualmente los pacientes alérgicos a un pescado lo son a prácticamente todos, salvo al cazón, emperador y atún, que se suelen tolerar, siendo una buena alternativa nutricional. Para poder dar a un paciente alérgico a pescados estas alternativas, el paciente debe ser estudiado por un alergólogo y puede ser necesaria una prueba de provocación controlada con este alimento, antes de introducirlos en la dieta. Existe la alergia a un solo pescado, pero es poco frecuente.

En los adultos, encontramos cada vez con más frecuencia la alergia al *Anisakis simplex*. Ésta no es una alergia al pescado, sino a un parásito que cada vez con más frecuencia encontramos en los pescados y cefalópodos (calamar, sepia, pulpo...), que desde luego no implica que el pescado esté en malas condiciones y que bajo unas normas que el alergólogo da al paciente alérgico a *Anisakis simplex*, éste puede comer pescado de manera habitual.

Alergia a las legumbres

Las leguminosas son plantas dicotiledóneas y se caracterizan porque su fruto se encuentra encerrado en vainas. Las principales leguminosas son: lenteja, garbanzo, guisante, cacahuete, judía blanca, soja, almorta, haba y altramuz. Las legumbres son ricas en proteínas de alto valor biológico y su ingesta varía según los hábitos alimenticios de cada país, y por lo tanto la prevalencia de alergia a cada una de ellas también. En EE.UU. y los países anglosajones, el cacahuete y la soja son los que con más frecuencia causan reacciones alérgicas. En el área mediterránea, los principales alimentos de este grupo que producen alergias son la lenteja y el garbanzo.

Las proteínas alergénicas de las legumbres se clasifican en globulinas (vicilinas y leguminas) y albúminas, y como se encuentran en todas las leguminosas, los pacientes suelen tener pruebas positivas frente a todas ellas, lo que no indica que no puedan tolerarlas; por eso precisa realizarse un estudio individualizado a cada paciente incluyendo pruebas de provocación con las leguminosas conocidas menos alergénicas: judía blanca y soja.

La alergia a leguminosas comienza en los primeros años de vida y suele desaparecer tras una dieta de exclusión a pesar de la persistencia prolongada de pruebas cutáneas e IgE específica positiva.

Alergia a los frutos secos

Los frutos secos son semillas con alto poder nutritivo y, por tanto, importantes en nuestra alimentación. Se consumen directamente o formando parte de productos de bollería, pastelería, helados, salsas, etc., por lo que los pacientes alérgicos a éstos tienen que tener mucho cuidado, ya que pueden comportarse como «alérgenos ocultos» en muchas ocasiones.

Los frutos secos son: almendras, avellanas, castañas, piñones, pistachos, anacardos, nueces, nueces de macadamia, semillas de girasol y también los cacahuetes, que pertenecen al grupo de las leguminosas, pero de los que hablaremos con mayor profundidad en este apartado.

La mayoría de los alérgenos de los frutos secos pertenecen a la familia de proteínas de almacenamiento de semillas, como en las leguminosas, pero también existen otras proteínas que son responsables de su alergenicidad, como las profilinas y las proteínas transportadoras de lípidos. Algunas son termoestables y otras son termorresistentes, de ahí la gran cantidad de diferentes perfiles alergológicos que nos podemos encontrar en los pacientes.

La alergia a frutos secos en la infancia es frecuente que sea individual, mientras que en los adultos suelen ser varios los frutos secos implicados o los que van apareciendo causando reacciones de forma sucesiva; la alergia a frutos secos no tiende a desaparecer a lo largo de la vida.

Alergia al marisco

El término popular «marisco» se refiere a aquellos animales invertebrados acuáticos, generalmente marinos, provistos de un exoesqueleto rígido y que son comestibles. Dentro de éstos, podemos encontrar crustáceos, que son todos aquellos como la gamba y derivados (quisquilla, langostino, cigala, bogavante, langosta, cangrejo, centollo, buey de mar, etc.) y moluscos, que abarcan los bivalvos (aquellos que tienen concha), cefalópodos (pulpo, calamar y sepia) y gasterópodos (caracol).

La alergia al marisco se presenta en adultos siendo rara en niños, ya que no se introducen en la dieta hasta que los pacientes tienen una cierta edad.

El alérgeno mayoritario es la tropomiosina, proteína altamente termoestable. Los pacientes que son alérgicos a un crustáceo lo suelen ser a todos. Menos frecuente es que el paciente con alergia a crustáceos sea también alérgico a cefalópodos y bivalvos, por lo que hay que individualizar el estudio alergológico en cada uno.

Alergia a las frutas

Muchas son las frutas implicadas en procesos alérgicos. Los alérgenos descritos hasta la actualidad en su mayoría pertenecen a un grupo de proteínas de defensa vegetal de las plantas y a las profilinas. Las profilinas son proteínas que forman parte del citoesqueleto celular; son poco resistentes a los ácidos gástricos, por lo que de forma habitual dan síntomas leves y recluidos al área orofaríngea (picor oral, faríngeo, ótico e incluso leve eritema perioral y edema labial). Dentro del grupo de proteínas de defensa vegetal, destacan las proteínas de transferencia de lípidos (LTP). Estas proteínas son altamente resistentes a los ácidos gástricos, son termoestables y suelen producir reacciones severas.

Como son muchas las proteínas alergénicas implicadas, es necesario para cada paciente individualizar el diagnóstico y las normas de evitación tras una historia clínica detallada y las pruebas complementarias correspondientes.

7. Prevención y tratamiento de la alergia alimentaria

El tratamiento principal de la alergia alimentaria lo constituye, hoy por hoy, la eliminación en la dieta del alimento responsable. Se han llevado a cabo numerosos estudios encaminados a la Prevención Primaria, es decir, a obtener una serie de medidas encaminadas a evitar la sensibilización a alérgenos alimentarios, pero todas ellas parecen tener como resultado un retraso en su aparición y no una acción realmente preventiva.

Las recomendaciones de la Academia Europea de Alergología e Inmunología Clínica para el tratamiento de la alergia a alimentos incluyen:

- La correcta identificación del alérgeno causal
- El conocimiento de las posibles reacciones por la ingesta de alimentos de la misma familia o de otras diferentes que pueden contener el alérgeno
- El conocimiento de las fuentes de exposición inadvertidas
- La supervisión de las dietas de eliminación y el cumplimiento de los requerimientos dietéticos

Identificación del agente causal

La identificación del alérgeno causal se realiza en la consulta de alergología, donde se informa al paciente del alimento/os al que es alérgico y que no deberá ingerir, así como de los alimentos que debe eliminar de su dieta, pertenezcan o no a esa familia alimentaria, por el hecho
de poderle producir una reacción al compartir alérgenos.

Los pacientes con alergia a alimentos suelen estar sanos, salvo que
presenten un episodio agudo por la ingestión del alimento en cuestión,
con lo que no suelen tener conciencia de enfermedad, ni de las conse-
cuencias que pueden derivar de este problema. La educación de este
tipo de pacientes es fundamental en la prevención de futuras reacciones. El paciente debe recibir información sobre su enfermedad, sus con-
secuencias, sobre el reconocimiento de los síntomas de una reacción
alérgica y sobre las medidas de autotratamiento, si fuera necesario.

Conocimiento de las fuentes de exposición

El paciente debe conocer la composición de los alimentos que consu-
me y para ello es necesario que las etiquetas de los alimentos elabora-
dos contengan una información precisa y clara de sus ingredientes.
Desde las consultas de alergología se da a los pacientes las diferentes
denominaciones que se pueden encontrar en los etiquetados de los alimentos alergénicos (leche, huevo, etc.).

A partir de noviembre de 2005 se prohibió en España la venta de
productos alimenticios que no tuvieran en su etiquetado los alérgenos
mayoritarios presentes en su composición, independientemente de su
cantidad (Real Decreto 2220/2004, de 26 de noviembre de 2004), que
son los siguientes:

- Cereales que contengan gluten y productos derivados
- Crustáceos y productos a base de crustáceos
- Huevos y productos a base de huevo
- Pescado y productos a base de pescado
- Cacahuetes y productos a base de cacahuetes
- Soja y productos a base de soja
- Leche y sus derivados (incluida la lactosa)
- Frutos de cáscara, es decir: almendras, avellanas, nueces, anacardos, pacanas, castañas, pistachos y productos derivados
- Apio y productos derivados
- Mostaza y productos derivados
- Anhídrido sulfuroso y sulfitos en concentraciones superiores a 10 mg/kg o 10 mg/l expresado como SO_2

Los alimentos ocultos son aquellos que aparecen de forma inadvertida para los consumidores. En general esto puede ocurrir por diferentes motivos:

- Etiquetado: omisión del ingrediente o error en el etiquetado. Los fabricantes pueden cambiar un ingrediente en la elaboración del alimento sin previo aviso
- Contaminación por el uso de las mismas cadenas de producción para la elaboración de diferentes alimentos, sin una correcta limpieza del sistema
- Errores en la declaración por parte de los proveedores de la materia prima o derivados de los propios trabajadores de la fábrica.

Para evitar problemas legales en relación con la posible contaminación cruzada, las industrias han introducido en las etiquetas la recomendación de que «pueden contener trazas» de frutos secos, huevo u otros alimentos, lo que hace más restrictiva la dieta de los pacientes.

Dietas de eliminación

En los adultos esto es relativamente sencillo porque hay muchos alimentos que pueden sustituir a otros; en los niños, sobre todo si padecen alergia a varios alimentos, puede ser más difícil ya que no disponemos de tantos alimentos al tener que ir introduciéndolos de una forma progresiva según la edad y hay que mantener un adecuado desarrollo pondo-estatural.

Las dietas de eliminación muy restrictivas en niños con múltiples alergias alimentarias o en las que estén implicados alimentos muy ubicuos, suponen en muchas ocasiones un cambio completo en las condiciones de vida del paciente y de su entorno familiar. Cosas tan sencillas, en un principio, como comer fuera del domicilio, la preparación de la comida diaria o la elaboración de la lista de la compra, pueden convertirse en una tarea tan estresante que en ocasiones derive en la necesidad de apoyo psicológico. Por esto es muy importante el intercambio de información con otros niños y familiares con el mismo problema.

Es de mucha utilidad a este respecto la existencia de asociaciones, como la Asociación Española de Padres y Niños Alérgicos a Alimentos y Látex (AEPNAAL), Inmunitas Vera en Cataluña y Elikalte en el País Vasco. Estas asociaciones permiten el intercambio de información con otros pacientes y padres, han puesto en marcha talleres informativos para pacientes y educadores y han promovido reuniones y foros de discusión con profesionales. Gracias a ellas se está tomando más conciencia social de las alergias alimentarias hoy en día.

8. Consejos y recomendaciones generales para los alérgicos a alimentos

El diagnóstico de una o varias alergias alimentarias puede suponer un gran problema inicial para una familia. Al principio no se suele saber cómo reaccionar ni qué hacer, pero haciendo de la práctica una rutina, el día a día no tiene por qué ser muy complicado. A continuación enumero una serie de consejos o buenas prácticas para realizar.

Recomendaciones en el hogar

1. El principio fundamental es que el alérgico no puede comer lo que los demás miembros de la comunidad o familia, pero los demás sí que pueden comer lo que coma el alérgico. Ésta no es sólo la mejor garantía de que no se producirán contaminaciones ni problemas añadidos, sino que contribuirá a algo que creemos que es muy importante: que la persona alérgica no se sienta distinta, aislada y diferente.

2. Utilizar, siempre que sea posible, alimentos naturales, y cuando esto no sea posible, leer siempre los ingredientes en el etiquetado de los productos antes de comprarlos. No se utilizarán productos envasados que no estén etiquetados. Conviene tener a mano el listado de información de productos, ingredientes y denominaciones del alérgeno, que nos ha facilitado el alergólogo, para consultar siempre que surja la duda.

3. En caso de que vayamos a hacer varias comidas, preparar y cocinar primero la comida de la persona alérgica. Así garantizamos el primer uso limpio de aceite, utensilios, planchas, paños, superficies, maderas, manos, etc., y evitamos posibles contaminaciones con restos de productos cocinados anteriormente.

4. Mantener una higiene rigurosa en la cocina. Extremar la limpieza en sartenes, cacerolas, hornos, microondas, escurreverduras, coladores y otros utensilios. Son preferibles las encimeras de piedra o metal a las de melamina, y los utensilios y recipientes metálicos o de vídrio a los de barro, madera o más porosos. Trate de usar lavaplatos para el lavado de la vajilla y no utilice nunca freidoras.

5. Reparta las raciones en los platos, no deje que los comensales se sirvan con sus cubiertos de una fuente común.

6. Acostumbre desde pequeños a los niños a lavarse las manos siempre antes de manipular alimentos o comer.

7. No conserve nunca caldos sobrantes, salsas o aceites de un uso para otro. Si lo hace alguna vez, etiquete y conserve convenientemente cerrado en un recipiente el alimento en cuestión.

8. Una vez cocinado el alimento especial para la persona alérgica, sepárelo de los demás y consérvelo tapado hasta el momento de la comida para evitar contaminaciones.

9. Saleros, especieros, botes de harina, pan rallado, etc., siempre en recipientes cerrados. La sal no se debe coger con la mano y las especias tampoco.

10. Lo que un día es bueno, puede dejar de serlo pasado el tiempo; distintas marcas comerciales pueden tener ingredientes distintos, y además, las marcas pueden cambiar de ingredientes en su composición. Hay que mantenerse atento y leer periódicamente los ingredientes de los alimentos.

Recomendaciones fuera del hogar

1. Cuando las comidas vayan a realizarse fuera de casa, hay dos formas de asegurar que la dieta no contendrá alérgenos. Pedir garan-

tías firmes de ello al centro donde vayamos a comer o proporcionar nosotros las comidas o ingredientes principales.

2. Nunca se debe ingerir ningún alimento sin etiquetar o sin las debidas garantías de ausencia de alérgenos. Esto es extensivo a los productos de pastelería, golosinas y otros especialmente atractivos para los niños.
3. En vacaciones se aconseja elegir un apartotel con cocina propia mejor que un hotel con buffet libre.
4. Ante la duda, en un restaurante consulte al maître o incluso al cocinero para asegurarse de la composición de un plato dudoso.
5. Lleve siempre consigo el tratamiento prescrito por el alergólogo y vigile su caducidad. Si sus hijos menores tienen que viajar lejos de su control, asegúrese de que lleven de manera inseparable una documentación con una breve explicación de su diagnóstico alergológico, normas de evitación del tratamiento en caso de crisis y que el personal a su cuidado sepa cómo utilizarlo.

9. Glosario

Alérgeno: proteína o glicoproteína capaz de producir una reacción alérgica.

Alergia: reacción inesperada y exagerada del sistema inmune frente a un alérgeno.

Alergia alimentaria: reacción adversa a alimento/s mediada por un mecanismo inmunológico.

Anafilaxia: reacción alérgica inmediata en la que participan múltiples órganos y sistemas a la vez, produciéndose como consecuencia una situación grave.

Anticuerpo: proteína producida por el sistema inmune para defender al organismo en respuesta a la presencia de un antígeno.

Antígeno: sustancia que induce la formación de anticuerpo/s, tras ser reconocida por el sistema inmune como una amenaza.

Atopia: predisposición hereditaria a desarrollar una respuesta alérgica.

Idiosincrasia: reacción adversa no previsible, sin implicar mecanismo inmunológico, determinada por variantes de tipo genético con implicación metabólica-enzimática.

Intolerancia: reacción adversa no tóxica y no mediada por un mecanismo inmunológico.

Intoxicación: reacción adversa tóxica, motivada por la exposición a sustancias tóxicas vehiculizadas por los alimentos.

Reacción adversa alimentaria: cualquier respuesta clínicamente anormal atribuible a la ingestión, contacto o inhalación de un alimento o de sus derivados, o de un aditivo contenido en el mismo.

10. Bibliografía

1. Alergia a los alimentos. En: *Tratado de Alergología*. Tomo II. Sociedad Española de Alergia e Inmunología Clínica. Ed.: Antonio Peláez Hernández, Ignacio Dávila González. Majadahonda (Madrid). 2007. p. 789-1030.
2. Alergia a los alimentos. En: *Alergológica 2005. Factores epidemiológicos, clínicos y socioeconómicos de las enfermedades alérgicas en España en 2005*. Madrid. Luzán 5, S. A. ed. 2006. p. 227-255.
3. Reacciones adversas a los alimentos. En: *Middleton's Allergy: principles and practice*. 7ª ed. Elsevier Inc. 2009. pp.1139-69.

SEGUNDA PARTE

Recetario

Medidas y equivalencias

EN LÍQUIDOS		
1 taza de café	=	100 cc aprox.
1 taza de té	=	150 ml
1 taza	=	200 cc aprox.
1 vaso de agua	=	200 ml
1 vaso de vino	=	100 ml
1 cucharón	=	260 ml
1 cucharada	=	15 ml

CUANDO EN UNA RECETA DICE		
Tazón	=	1 taza de desayuno
Taza	=	1 taza de las de té
Tacita	=	1 taza de las de café
Cucharada	=	1 cucharada de las soperas
Cucharadita	=	1 cucharada de las de postre
Vaso	=	1 vaso de los de agua
Vasito	=	1 vaso de los de vino

EQUIVALENCIA DE CAPACIDAD		
1 cucharadita de agua	=	5 ml
1 cucharada de agua	=	15 ml
1 tazón o taza de desayuno	=	250 ml = $\frac{1}{4}$ l = 2$\frac{1}{2}$ dl
1 taza de las de té	=	150 ml = 1$\frac{1}{2}$ dl
1 taza de las de café	=	100 ml = 1 dl
1 vaso de los de agua	=	200 ml = 2 dl
1 vaso de los de vino	=	100 ml = 1 dl
8 cucharadas soperas	=	100 ml = 1 dl
1 copita o vaso de licor	=	50 ml = $\frac{1}{2}$ dl = 4 cucharadas soperas

HARINA

1 kilo de harina	=	8½ tazas aprox.
1 taza de harina	=	120 a 130 g aprox.
1 cucharada rasa harina	=	10 g aprox.
1 cucharada colmada de harina	=	20 g aprox.
1 cucharadita rasa de harina	=	3 g aprox.
1 taza de maicena	=	100 g

AZÚCAR

1 kilo de azúcar	=	5 tazas aprox.
1 taza de azúcar	=	190 a 200 g aprox.
1 taza de azúcar morena	=	160 g

MANTEQUILLA

1 taza	=	190 a 200 g
1 cucharada rasa	=	10 a 15 g
1 cucharadita rasa	=	6 a 8 g
1 cucharada colmada	=	40 a 45 g
1 taza a temperatura ambiente	=	1½ taza derretida
1 nuez de mantequilla	=	30 g

VARIOS

Cucharada	=	1 cuchara sopera
Cucharadita	=	1 cuchara de té
1 cuchara sopera rasa	=	15 g de aceite
3 cucharaditas equivalen a	=	1 cucharada
1 diente de ajo	=	5 g
1 avellana de mantequilla	=	5 g
1 docena de olivas	=	50 g
1 patata mediana	=	150-200 g
1 tomate mediano	=	100 g
1 zanahoria mediana	=	100 g
1 loncha de jamón serrano	=	40 g
1 loncha de jamón cocido	=	40 - 50 g
1 filete de queso	=	40 g
1 rebanada de pan tostado	=	15 g
1 rebanada de pan normal	=	20 g

CAPÍTULO 1

Papillas para bebés

RECETAS PARA BEBÉS MENORES DE 1 AÑO

(He elegido las que no llevan ni huevo, ni pescado, ni azúcar, ni ningún alimento alergénico en su composición). Aunque debe quedar claro que la alimentación de los bebes debe estar controlada por su pediatra, nos permitimos hacer alguna sugerencia.

1. Papilla naranja

INGREDIENTES
PATATA
CALABAZA (DEL MISMO TAMAÑO QUE LA PATATA)
ACEITE DE OLIVA

PREPARACIÓN

Poner agua a hervir; en cuanto hierva añadir una patata. Pinchar la patata y cuando esté casi hecha añadir la calabaza sin semillas. La calabaza se hace muy rápido. Se saca todo, se tritura con un poquito del agua de cocción y se echa un chorrito (2-3 cucharadas) de aceite de oliva de 0,4°.

2. Sopa de puerro y calabaza

INGREDIENTES

½ L DE AGUA

80 G DE CALABAZA

1 PUERRO (SÓLO LA PARTE BLANCA)

3 CUCHARADAS DE LECHE DE CONTINUACIÓN (OPCIONAL: SÓLO SI EL BEBÉ LA TOMA)

PREPARACIÓN

Limpiar bien el puerro y retirar las semillas y la parte filamentosa de la calabaza. Trocear las dos verduras e introducirlas en una cacerola con agua. Tapar
y dejar cocer a fuego lento durante 20 minutos. Después, colar, pasar por el
pasapurés y añadir la leche de continuación. Dejar hervir otros 10 minutos.

3. Pechuga de pollo con manzana

INGREDIENTES

30 G DE PECHUGA DE POLLO

½ MANZANA

1 CUCHARADA DE ACEITE DE OLIVA

PREPARACIÓN

Pelar y trocear la media manzana, retirando las semillas. Cocerla al vapor unos
20 minutos. Asar la pechuga de pollo, triturarla y mezclarla con la manzana,
previamente aplastada con un tenedor. Aliñar por último con el aceite de oliva.

4. Ternera con verduras variadas

INGREDIENTES
25 G DE TERNERA
1 ZANAHORIA MEDIANA
1 PEDACITO DE NABO
20 G DE JUDÍAS VERDES
20 G DE GUISANTES
1 CEBOLLA PEQUEÑA
1 CUCHARADITA DE ACEITE DE OLIVA

PREPARACIÓN
Lavar y pelar las verduras, y cortarlas en trozos bastante pequeños. Añadir los guisantes y limpiar las judías verdes. En 1 l de agua hirviendo, introducir la zanahoria, el nabo y las judías. Dejar cocer todo durante 10 minutos y añadir entonces los guisantes. Dejar cocer otros 5 minutos. Cuando las verduras estén cocidas, escurrirlas y pasarlas por el pasapurés (o triturarlas). Cocer la carne aparte sin condimentar. Triturarla y mezclarla con el puré de verduras. Finalmente, añadir la cucharada de aceite de oliva.

5. Verduras con tapioca. Receta sin gluten

TAPIOCA
CALABACÍN
ZANAHORIA
CEBOLLA TIERNA

PREPARACIÓN

Se rallan las verduras con el rallador fino. Se pone un cazo con agua y, cuando arranque a hervir, se le echan las verduras ralladas. Cuando estén cocidas (al estar ralladas se cuecen rápido), se le añade una cucharada sopera rasa de tapioca. Se remueve hasta que la tapioca está a punto. Si queda agua, se escurre. Se puede condimentar con un chorrito de aceite. Apto para consumir tal cual, no es necesario chafar ni triturar.

6. Compota de frutas con avena. Receta con gluten

INGREDIENTES
MANZANA O PERA O CIRUELA
COPOS DE AVENA

PREPARACIÓN

Se corta la fruta (una o varias, al gusto) en dados y se echa en un cazo de agua hirviendo. Cuando está blandita, se espolvorea por encima copos de avena, dejándolo cocer unos 5 minutos. Se escurre y queda una papilla dulce que no es necesario triturar, bastará con chafar un poco con el tenedor.

CAPÍTULO 2

Primeros platos

1. Coliflor con queso
Para 4 personas

INGREDIENTES
175 G DE COLIFLOR

15 G DE MARGARINA

1 CUCHARADA SOPERA DE HARINA DE MAÍZ (MAICENA)

17,5 CL DE LECHE

50 G DE QUESO CHEDDAR.

¡¡¡CUIDADO CON EL QUESO; A VECES LE AÑADEN HUEVO EN LOS PROCESOS DE FABRICACIÓN!!!

PREPARACIÓN
La coliflor se limpia, se trocea y se cuece al vapor unos 10 minutos. Mientras tanto se prepara la salsa, deshaciendo a fuego lento la margarina en una cazuela, añadiéndole la maicena y removiendo hasta que se mezcle bien. Se añade entonces la leche sin dejar de remover (tiene que espesar). En ese momento se aparta del fuego y se añade el queso que habremos rallado previamente. Se sigue removiendo hasta que la incorporación del queso sea completa y hayamos logrado una textura homogénea. Se mezcla con la coliflor y se pasa por el pasapurés.

2. Judías verdes con tomate

Por persona

INGREDIENTES

100 G DE JUDÍAS VERDES

1 ZANAHORIA GRANDE

LA PARTE BLANCA DE UN PUERRO

1 TOMATE GRANDE Y MADURO

ACEITE DE OLIVA VIRGEN

PREPARACIÓN

Se limpia la zanahoria y se echa en agua hirviendo; a los 8 minutos, agregar las judías lavadas y sin hilos y cuando estén casi hechas del todo, añadir el tomate (sin piel ni semillas). Se tritura todo y se añade un chorrito de aceite de oliva.

3. Arroz con verduras

Para 2 personas

INGREDIENTES

50 G DE ARROZ BLANCO DE GRANO CORTO O MEDIO

150 G DE CALABACÍN

1 ZANAHORIA MEDIANA

1 TOMATE MEDIANO MADURO

1 CUCHARADITA DE ACEITE DE OLIVA VIRGEN

PREPARACIÓN

Lavar, escurrir y hervir el arroz en agua abundante 25 minutos. Hervir las verduras peladas y troceadas en la olla exprés, con el agua justa para cubrirlas, unos 5 minutos. Mientras, calentar agua en el microondas o en un cazo al fuego, retirarla y sumergir en ella el tomate. Escaldarlo y sacarlo después de unos segundos para que resulte más fácil pelarlo. Cuando el arroz esté listo, pasarlo a un colador y lavarlo bajo el chorro de agua fría para que suelte bien el almidón. Mezclarlo con las verduras, el tomate y el aceite y triturarlo todo con el pasapurés.

4. Arroz con verduras, 2
Por persona

INGREDIENTES
2 HOJAS DE ESPINACAS
½ CALABACÍN
4 JUDÍAS VERDES
1 TAZA DE CALDO VEGETAL
1 PUÑADO DE ARROZ
1 CUCHARADA DE REQUESÓN
1 CUCHARADITA DE ACEITE DE OLIVA
1 CUCHARADITA DE PEREJIL Y DE ALBAHACA TRINCHADOS

PREPARACIÓN
Lavar las verduras, y cortar el calabacín, las judías verdes y las espinacas en juliana. Cocer el arroz en el caldo vegetal hirviendo, e inmediatamente después, verter el calabacín y las judías verdes. Finalizada la cocción, añadir las espinacas y el requesón, retirar del fuego y condimentar con el aceite, el perejil y la albahaca.

5. Pasta con espinacas
Por persona

INGREDIENTES
100 G DE ESPINACAS

50 G DE PASTA

40 G DE QUESO RALLADO

2 CUCHARADAS DE LECHE

¡¡¡CUIDADO CON EL HUEVO EN EL QUESO Y EN LA PASTA!!!

PREPARACIÓN
Las espinacas se lavan cuidadosamente y se hierven unos 5 minutos. Se cuece la pasta (pueden ser conchas, por ejemplo). Se escurren las espinacas una vez cocidas, se mezclan con la leche y se tritura todo en la batidora, se agrega la pasta cocida y se añade queso al gusto.

6. Crema de zanahorias
Para 4 personas

INGREDIENTES
¾ KG DE ZANAHORIAS TIERNAS

75 G DE MANTEQUILLA

1 PASTILLA DE CALDO O MEJOR 1¼ L DE CALDO DE POLLO PREVIAMENTE HECHO

AZÚCAR Y ACEITE

PREPARACIÓN
Pelar las zanahorias, cortarlas en rodajas finas, espolvorearlas con un poco de azúcar y rehogarlas en la mantequilla durante 15 minutos. Vertir 1¼ l de agua y la pastilla de caldo, o el caldo de pollo y dejarlo hervir 45 minutos. Una vez cocido, triturarlo hasta obtener un puré fino.

7. Puré de lentejas con jamón

Para 4 personas

INGREDIENTES

1 CEBOLLA MEDIANA

1 ZANAHORIA TIERNA Y GRANDE

100 G DE JAMÓN

1 BOTE DE LENTEJAS PRECOCIDAS

AGUA

SAL Y ACEITE

PREPARACIÓN

Picar la cebolla y la zanahoria (se puede poner también pimiento: el sabor sale más fuerte), y poner en una cazuela con algo de jamón serrano picadito, todo a fuego suave con aceite. Cuando están blandas las verduras, añadir el bote entero de lentejas (de esas precocidas) y remover todo un rato. Luego añadir un vaso de agua, y dejar otro rato más, que se consuma un poco el agua. Una vez hecho esto, pasar todo por la batidora, rectificar de sal (cuidado que ya lleva el jamón); se pueden añadir tostones de pan frito.

8. Arroz con verduras y pollo o pescado

Por persona

INGREDIENTES

1 ZANAHORIA MEDIANA
¼ DE CALABACÍN
¼ DE CEBOLLA
¼ DE TOMATE
1 TAZA DE ARROZ
POLLO/PESCADO (DEPENDE DE LO QUE QUIERAS)

PREPARACIÓN

Primero cortar la zanahoria en trocitos y ponerla a hervir. Reservar el caldo. Rehogar el calabacín, la cebolla y el tomate con aceite de oliva. Cuando la zanahoria está blanda añadirla, escurrida, a la verdura, junto con el pollo o el pescado en trozos; dar un par de vueltas y añadir el arroz; otro par de vueltas todo junto y añadir por último el caldo de cocer la zanahoria. 20 minutos cociendo a fuego medio y listo. Usar pescados sin espinas (filetes de gallo, halibut...). Sazonar los filetes de pechuga que se vayan a utilizar y cortarlos en dados finos. Después se pasan por abundante pan rallado (utilizar como opción con ajo y perejil) y freír hasta que queden dorados.

9. Puré de lentejas con churruscos y jamón
Para 4 personas

INGREDIENTES
400 G DE LENTEJAS
1 ZANAHORIA
1 TOMATE MADURO
1 PUERRO
300 G PURÉ DE PATATAS
1 REBANADA DE PAN DURO
1 AJO
PIMENTÓN DULCE
PIMENTÓN PICANTE
2 FILETES DE JAMÓN
TOMILLO
AGUA
SAL

PREPARACIÓN

La noche antes dejar las lentejas en remojo, recubiertas con agua, o usar un bote de lentejas precocidas. En una olla con agua hasta cubrir, cocer durante 1 hora las lentejas escurridas con el tomate maduro, la zanahoria y el puerro, bien picados, y un poco de sal. Una vez que estén blandas las legumbres, escurrir y pasar la batidora hasta hacerlas una crema fina. Se vuelve a poner a fuego lento, añadiendo un poquito del caldo escurrido. Aparte, se va haciendo el puré de patatas. Cortar la rebanada de pan en dados, y dejar macerar en aceite, como ¼ de vaso, con un ajo machado y una cucharada de pimentón dulce y un poco del picante. Remover con mucho cuidado, y cuando esté todo empapado, pasar por una sartén a fuego lento, hasta que se tuesten por todos los lados. A la hora de servir, colocar el puré de lentejas, encima una buena cucharada de la crema de patatas, y decorar con los churruscos de pan tostado y una pizca de tomillo. Adornar con los filetes de jamón cortados en cuadritos muy finos como de 1 cm.

10. Patatas castellanas

Para 4 personas

INGREDIENTES

1 KG DE PATATAS

1 CEBOLLA

1 DIENTE DE AJO

1 CUCHARADA DE HARINA

1 CUCHARADA DE PIMENTÓN DULCE

2 HOJAS DE LAUREL

AGUA O CALDO VEGETAL

ACEITE DE OLIVA

PIMIENTA NEGRA MOLIDA

SAL

PREPARACIÓN

Calentar en una olla 2 cucharadas de aceite y saltear la cebolla y el ajo picado. Cuando empiecen a dorarse, incorporar las patatas peladas y cortadas en trozos gruesos. Añadir también el pimentón y rehogar un par de minutos el conjunto.

Espolvorear por encima la harina y dar unas vueltas con la cuchara de madera para que se dore ligeramente. Verter encima el agua o caldo, lo suficiente para que lo cubra todo como un dedo por encima, el laurel y una pizca de sal y pimienta, al gusto. Dejar cocer suavemente unos 30 minutos, hasta que las patatas queden tiernas. Servir muy caliente.

11. Crema blanca

Para 4 personas

INGREDIENTES

1 COLIFLOR

200 G DE ESPÁRRAGOS BLANCOS

2 PUERROS

15 CL DE NATA CASERA O COMERCIAL

ANÍS EN GRANO

NUEZ MOSCADA

ACEITE DE OLIVA

AGUA

SAL

PREPARACIÓN

Limpiar y picar las verduras y ponerlas a hervir en una cacerola con abundante agua y 2 cucharadas de aceite. Deben quedar completamente cubiertas. Dejar cocer a fuego lento-medio unos 10 minutos, siempre tapada para que se hagan antes. Mientras, en un mortero, moler media cucharadita de granos de anís con un poco de sal. Añadir a la olla, junto con una cucharadita de nuez moscada recién rallada. Cuando las verduras estén blandas, al cabo de unos 5 o 10 minutos más, retirar del fuego y pasar todo por la batidora. Agregar la nata, corregir de sal y volver a poner al fuego un par de minutos más para que se caliente y mezclen bien los ingredientes. Se sirve enseguida, muy caliente.

12. Puré de calabacín
Para 4 personas

INGREDIENTES

½ KG DE CALABACINES

2 PATATAS GRANDES

1 TROZO DE CALABAZA

1 CEBOLLA EN AROS APENAS DORADA

4 CUCHARADAS DE QUESO RALLADO

½ TAZA DE LENTEJAS

1 TAZA DE BECHAMEL

SAL Y PIMIENTA

PREPARACIÓN

Poner en remojo las lentejas (por lo menos 3 horas, si es más tiempo mejor. Se pueden sustituir por un bote de lentejas precocidas). Luego cocinarlas en agua hirviendo hasta que se ablanden. Cocinar las patatas, previamente lavadas, con su cáscara. Si son grandes, llevarán aproximadamente media hora de cocción. Cuando falten 10 minutos, agregar los calabacines, lavados y cortados a la mitad (retirar las puntas centrales). Retirar del fuego y pasar por el pasapurés ambos ingredientes. Incorporar las lentejas ya cocidas, el queso rallado, la cebolla dorada, la sal y la pimienta al gusto, y mezclar. Colocar la preparación en una fuente rectangular. Servirlo bañado en salsa bechamel.

COCINA FÁCIL PARA ALÉRGICOS

13. Kdra de pollo con azafrán, garbanzos y arroz

Para 8 personas

INGREDIENTES

400 G DE GARBANZOS ENLATADOS (ESCURRIDOS 240 G)

4 PIZCAS DE AZAFRÁN LIGERAMENTE TOSTADAS EN UNA SARTÉN ANTIADHERENTE

1 CUCHARADITA DE SAL GORDA

1 ½ KG DE POLLO TROCEADO

1 CUCHARADITA DE JENGIBRE MOLIDO

½ CUCHARADITA DE CÚRCUMA

2 CUCHARADAS DE MANTEQUILLA CLARIFICADA

2 MANOJOS DE PEREJIL Y CILANTRO PICADOS Y MEZCLADOS

2 CEBOLLAS BLANCAS CORTADAS EN RODAJAS

25 G DE ARROZ BLANCO DE GRANO LARGO LAVADO Y ESCURRIDO

2 LIMONES PARTIDOS POR LA MITAD

PREPARACIÓN

Verter agua hirviendo sobre los garbanzos en un colador; extraer y desechar todas las pieles que se desprendan. Separar la pulpa de la corteza del limón en conserva y reservar las dos partes. Majar en un mortero el azafrán con la sal. Frotar el pollo con la mitad de esta mezcla, junto con el jengibre, la cúrcuma, la mantequilla y las hierbas para cubrirlo bien. Disponer el pollo ya aderezado, las cebollas y la pulpa del limón en una cacerola; tapar y dejar cocer a fuego lento durante 10 minutos o hasta que el pollo esté en parte dorado. Dar la vuelta a las piezas de pollo, agregar la corteza de limón en conserva y 350 ml de agua. Incorporar los garbanzos. Tapar y cocer a fuego lento durante otros 20 minutos. Añadir el arroz, remover y proseguir la cocción a fuego lento 20 minutos más o hasta que el arroz esté tierno, la salsa algo espesa y los garbanzos calientes. Exprimir por encima 2 limones. Repartir el resto de la mezcla de sal y azafrán, tapar el recipiente y dejar reposar 5 minutos. Servir caliente con cuscús (hecho al vapor), pan o arroz blanco.

14. Patatas revolconas

Para 4 personas

INGREDIENTES

500 G DE PATATAS

150 G DE PANCETA (TORREZNOS)

1 CUCHARADA DE PIMENTÓN DULCE

1 CUCHARADA DE PIMENTÓN PICANTE

2 CUCHARADAS DE ACEITE DE OLIVA

1 RAMILLETE DE PEREJIL

PIMIENTA BLANCA

SAL

PREPARACIÓN

Lavar y pelar las patatas. Cocerlas en abundante agua salada, de 35 a 40 minutos, hasta que se hayan ablandado. Sacar las patatas, escurrirlas y reservarlas calientes. Mientras tanto, saltear la panceta ligeramente salpimentada y cortada en forma de torreznos en una sartén a temperatura alta; dejarla dorar hasta que esté crujiente. Trocear las patatas en cuatro partes. Ponerlas en un bol y rectificar de sazón. Añadir los dos tipos de pimentón y el aceite. Deshacer los trocitos de patata con la ayuda de un tenedor; luego mezclarlos uniformemente hasta conseguir una masa lisa y homogénea. Disponer el puré obtenido sobre los platos. Decorar con los torreznos y el perejil antes de servir.

15. Berenjenas con queso

Para 4 personas

INGREDIENTES

1 BERENJENA GRANDE ALARGADA

1 PAQUETE DE QUESO EN LONCHAS EMMENTAL

SAL

PIMIENTA

ORÉGANO

ACEITE DE OLIVA

¡¡¡CUIDADO CON LA POSIBLE PRESENCIA DE HUEVO EN EL QUESO!!!

PREPARACIÓN

Cortar la berenjena en rodajas de aproximadamente 1 cm de grosor y disponerlas en una fuente o plato apto para microondas. Salpimentar y rociar con unas gotas de aceite. Dar la vuelta a las rodajas, salpimentar y cubrir cada una de ellas con una lámina de queso. Espolvorear con orégano. Introducir en el microondas con el grill encendido, y dejar durante 8 minutos a 600 w de potencia.

16. Arroz de olivas negras y albahaca

De Carmelo Bosque (Restaurante La Granada, Zaragoza)

Para 4 personas

INGREDIENTES

4 TACITAS DE ARROZ BOMBA

½ TACITA DE ACEITE DE OLIVA VIRGEN

2 CHALOTAS

1 TAZÓN DE CALDO

100 G DE MASCARPONE

150 G DE NATA LÍQUIDA

1 VASO (DE LOS DE VINO) DE VINO BLANCO

100 G DE QUESO PARMESANO

2 REBANADAS DE PAN TOSTADO

2 RAMAS O 2 CUCHARADITAS DE ALBAHACA

150 G DE OLIVAS NEGRAS

4 OLIVAS DE KALAMATA O, EN SU AUSENCIA, 4 OLIVAS NEGRAS ENTERAS

SAL

PREPARACIÓN

Para el arroz: sofreír la chalota picada con aceite de oliva, añadir el arroz y sofreír. Mojar con el caldo y cocer. Enfriar rápidamente y reservar.

Para las migas de oliva: secar las olivas al máximo. En la batidora poner las olivas y el pan. Triturar durante 5 minutos a velocidad 10 hasta obtener un polvo fino. Extender sobre papel sulfurizado e introducir en el horno a 100° C durante 1 hora.

Para la reducción de vino, nata y parmesano: en una sartén reducir el vino y la nata hasta que gane consistencia. Remover constantemente. Verter en la batidora junto al parmesano hasta conseguir una pasta fina y homogénea. Colar y reservar en frío.

Para el aceite de albahaca: deshojar la albahaca y escaldar. Triturar con el aceite de oliva virgen y colar.

Para el puré de olivas: deshuesar las olivas y escaldar 3 veces. Triturar en batidora con el caldo del escaldado. Colar la mezcla con papel filtro. Reservar el jugo para ir añadiéndolo al arroz. Reservar.

En una cacerola pequeña de fondo plano, poner una ración de arroz, un cazo de caldo, una cucharadita de mascarpone, un chorrito de nata y una pizca de sal. Cocer y añadir el parmesano, la albahaca picada y el jugo de aceituna negra microfiltrada. En un plato, con ayuda de un molde circular, colocar el arroz. Dar un golpe de calor en la gratinadora. Salsear. A un lado colocar las migas y una oliva de kalamata. Decorar con un cordón de salsa y el aceite de albahaca.

17. Tarta tibia de tomatitos y queso fresco
De Sergi Arola
Para 4 personas

INGREDIENTES

2 TARRINAS INDIVIDUALES DE QUESO FRESCO

1 BANDEJITA DE TOMATES CHERRY

100 G DE SALSA DE TOMATE

ALBAHACA U ORÉGANO

1 PAQUETE DE MASA DE HOJALDRE

ACEITE DE OLIVA VIRGEN EXTRA

SAL Y PIMIENTA

PREPARACIÓN

Hojaldre: estirar la masa de hojaldre lo más fina posible y cortarla en 4 discos individuales. Pinchar los discos con un tenedor. Precocerlos en el horno 10 minutos a 180° C.

Montaje: colocar en los discos de hojaldre una cucharada de salsa de tomate, los tomatitos y las bolitas de queso fresco. Salpimentar y sazonar con albahaca u orégano. Acabar de cocer durante 2 minutos y aliñar con un chorrito de aceite. El toque de estilo de Sergi Arola consiste en añadir unas gotas de vinagre de Módena reducido con un poco de azúcar.

18. Wok de macarrones con setas

De Carme Ruscadella

Para 6 personas

INGREDIENTES

500 G DE MACARRONES DE TRES COLORES SIN HUEVO

2 CEBOLLAS TIERNAS

2 TOMATES

2 AJOS TIERNOS

50 G DE QUESO PARMESANO

50 G DE QUESO PARA FUNDIR

UNAS LÁMINAS DE ALGA NORI

ACEITE DE OLIVA

300 G DE SETAS DE TEMPORADA (CHAMPIÑONES O SETAS DE CARDO)

SALVIA

ORÉGANO

SAL

PIMIENTA

¡¡¡TENER CUIDADO DE QUE EL QUESO NO LLEVE HUEVO!!!

PREPARACIÓN

Hacer una incisión en la base de los tomates y escaldarlos en agua hirviendo 30 segundos. Pelarlos, despepitarlos y cortarlos en dados pequeños.

Saltear, a fuego medio, con un chorro de aceite la cebolla tierna cortada en láminas durante 1 minuto, sin parar de sacudir el wok. Añadir los ajos tiernos y los dados de tomate y continuar salteando. Será el momento de añadir las setas limpias y cortadas en pequeños trozos, el orégano y la salvia. Saltear hasta que las setas pierdan toda el agua. Salpimentar al gusto. Hervir los macarrones en abundante agua y sal, unos 10 minutos, colarlos y pasarlos al wok. Añadir el alga nori cortada en cuadrados y saltear con energía. Salpimentar o rectificar de sal si es necesario. Añadir, antes de servir, el queso para fundir y el parmesano espolvoreado por encima.

19. Habas y guisantes

De Karlos Arguiñano

Para 4 personas

INGREDIENTES

400 G DE HABAS DESGRANADAS

100 G DE GUISANTES DESGRANADOS

2 TROZOS DE CARNE VETEADA CORTADA EN DADOS

2 CEBOLLAS PEQUEÑAS PICADAS

2 AJOS TIERNOS PICADOS

1 HATILLO DE PEREJIL

MENTA FRESCA Y LAUREL

100 G DE BUTIFARRA NEGRA

100 G DE BUTIFARRA BLANCA

½ COPA DE JEREZ SECO

½ COPA DE JEREZ DULCE

SAL

PIMIENTA NEGRA

1,5 CL DE ACEITE DE OLIVA

PREPARACIÓN

En una olla con aceite y la grasa caliente, dorar los dados de carne veteada durante 5 minutos y a continuación salpimentar. Echar el picado de cebollas y ajos tiernos y el ramito de hierbas, salar y continuar la cocción 5 minutos más (sofreír sólo ligeramente). Añadir las habas y los guisantes, la butifarra blanca, el Jerez dulce y el seco, salar y continuar la cocción con la olla tapada. Sacudir la olla de vez en cuando para que se remueva todo y dejar 10 minutos. Echar la butifarra negra, tapar y continuar sacudiendo sólo 2 minutos más. Ya estará listo. Dejar reposar un rato antes de servir, para que se potencien los sabores.

20. Tomates asados
Para 4 personas

INGREDIENTES
1 KG DE TOMATES PERA (PEQUEÑITOS Y MUY SABROSOS)

PREPARACIÓN
Lavar los tomates, secarlos y cortar la parte del tallo (una rodaja fina, para que después se sujeten). Hornear los tomates en una fuente Pyrex a 150° C durante 4-5 minutos para pelarlos mejor. Una vez pelados los tomates, hornear a temperatura muy baja hasta que se sequen y se reduzca el caldo. Aproximadamente se hornean 1 hora y 30 minutos (cuanto más tiempo los dejemos al horno, más baja debe ser la temperatura del mismo).

Servir como canapés, en tostas, con queso... Resultan deliciosos.

21. Fideos con brócoli
Para 4 personas

INGREDIENTES
250 G DE FIDEOS
BRÓCOLI
2 DIENTES DE AJO
ACEITE DE OLIVA
JENGIBRE
QUESO RALLADO

PREPARACIÓN
Separar las flores del brócoli y hacerles una cruz con el cuchillo a los tallos para facilitar la cocción, lavarlos y cocerlos; por otro lado cocer los fideos al dente con los dientes de ajo. Por último mezclar los fideos con el brócoli con 2 cucharadas de aceite de oliva, rallar a gusto el jengibre, y sólo una cucharadita de queso rallado.

COCINA FÁCIL PARA ALÉRGICOS

22. Sopa roja

Para 4-6 personas

INGREDIENTES

10 TOMATES MADUROS

1 CEBOLLA GRANDE

3 DIENTES DE AJO

UNAS RAMITAS DE COLIFLOR

1 RAMITA DE APIO

200 G DE PASTA DE SOPA SIN HUEVO

PREPARACIÓN

Con la cebolla y el ajo se hace un sofrito al que se añaden la coliflor y los tomates pelados y cortados en trocitos. Cuando está cocido (sin echar agua, pero a fuego lento) se pasa por la trituradora para que la mezcla sea más homogénea. Se añade entonces el apio y el agua suficiente para los platos que se deseen. Se deja hervir de 10 a 15 minutos y se echa la pasta, dejándolo hervir hasta que la pasta esté en su punto.

23. Sopa de alcachofas con queso

Para 6 personas

INGREDIENTES

6 ALCACHOFAS

2 CEBOLLAS

8 TOMATES MADUROS

2 LONCHAS DE QUESO SIN HUEVO

150-200 G DE PASTA FINA SIN HUEVO

LAUREL Y PEREJIL

PREPARACIÓN

Se cortan las cebollas y las partes tiernas de las alcachofas en trozos muy pequeños y se sofríen con los tomates (pelados y troceados). Cuando el sofrito está en su punto se añade el agua necesaria, el laurel y el perejil. Dejar cocer y añadir luego la pasta; 5 minutos antes de terminar la cocción se añade el queso.

24. Pilaf festivo

Para 4 personas

INGREDIENTES

1 TAZA DE APIO PICADO

1 CEBOLLA PEQUEÑA PICADA

4 CUCHARADAS DE ACEITE

2 CUBITOS DE CALDO VEGETAL

½ CUCHARADITA DE SAL

CHAMPIÑONES

8 ACEITUNAS NEGRAS SIN HUESO

2 CUCHARADAS DE PASAS

1 TAZA DE GUISANTES COCIDO

2 TAZAS DE ARROZ INTEGRAL COCIDO

PREPARACIÓN

Freír a fuego lento durante 5 minutos el apio y la cebolla. Agregar el caldo vegetal, la sal, los champiñones, las aceitunas y las pasas y dejarlos hervir. Cuando estén hervidos agregar los guisantes y el arroz y dejarlos calentar. Revolver rápidamente con un tenedor y servir enseguida.

25. Gazpacho

Para 4 personas

INGREDIENTES

½ KG DE TOMATES MADUROS PELADOS Y TROCEADOS

½ PEPINO TROCEADO

½ PIMIENTO VERDE TROCEADO

1 REBANADA DE PAN BLANCO DEL DÍA ANTERIOR

1 DIENTE DE AJO PELADO Y PICADO

2 VASOS DE AGUA

4 CUCHARADAS DE ACEITE Y DOS DE VINAGRE

SAL AL GUSTO

PREPARACIÓN

Poner el pan en el vaso de la batidora y añadir el agua para que se vaya empapando y se ablande. Añadir el resto de los ingredientes y batir hasta que quede homogéneo. Rectificar de sal, de vinagre o de aceite al gusto. Añadir agua si es que ha quedado muy espeso.

Consejos de servicio o acompañamiento: se puede acompañar el gazpacho con la famosa pipirrana, que no es más que un poco de pepino, pimiento, cebolla y tomate picado en cuadraditos muy pequeños. Esto se sirve en un bol aparte (cada ingrediente separado del otro) y cada uno se va añadiendo a su gusto los ingredientes que más le gusten. El gazpacho puede servirse como sopa fría (con cuchara) o como bebida (en un vaso, con unos cubitos de hielo si hace mucho calor).

26. Hummus
Para 4 personas

INGREDIENTES
250 G DE GARBANZOS COCIDOS
2 DIENTES DE AJO
½ LIMÓN
ACEITE
ESPECIAS
1 CUCHARADITA DE TAHINI

PREPARACIÓN
Se hacen puré los garbanzos, mezclándolos con aceite y limón. Se mezcla con los dientes de ajo bien picados y se le echan las especias que gusten: orégano, perejil, comino, pimienta negra, pimentón... El hummus auténtico lleva también una cucharadita de pasta de sésamo (tahini). Se sirve untado en rebanadas de pan. Se puede hacer un bocata con unas rebanadas de tomate, lechuga y pepinillo.

27. Sopa de melón
Para 4 personas

INGREDIENTES
1 YOGUR NATURAL SIN AZÚCAR O NATA LÍQUIDA O LECHE
1 MELÓN PEQUEÑO (O MEDIO MELÓN NORMAL)
UNAS HOJAS DE MENTA (OPCIONAL)
VIRUTAS O TROCITOS DE JAMÓN SERRANO

PREPARACIÓN
Pelar el melón y batir junto con el yogur y las hojas de menta bien limpias. (No hace falta poner muchas, unas 8 o 10 hojas). Si la batidora no es muy potente, cortar el melón en trozos muy pequeños y con paciencia. Una vez batido, guardar en la nevera. Al servir en los platos, esparcir el jamón por encima y poner como decoración unas hojas de menta. Se toma muy fría.

28. Lasaña de verduras
Para 6 personas

INGREDIENTES
2 DIENTES DE AJO PICADOS

1 CEBOLLA GRANDE PICADA EN CUADRADITOS PEQUEÑOS

1 PIMIENTO VERDE MEDIANO PICADO EN CUADRADITOS PEQUEÑOS

1 PIMIENTO ROJO PEQUEÑO PICADO EN CUADRADITOS PEQUEÑOS

1 CALABACÍN MEDIANO PICADO EN CUADRADITOS PEQUEÑOS

2 TOMATES GRANDES MADUROS PICADOS

1 VASO DE SOJA TEXTURIZADA FINA PUESTA EN REMOJO

12 PLACAS DE LASAÑA COCIDAS DEL HORNO. OJO: ¡¡¡QUE SEA SIN HUEVO!!!

½ L DE BECHAMEL DE SOJA

4 CUCHARADAS DE ACEITE DE OLIVA

1 PIZCA DE SAL

1 PIZCA DE AZÚCAR (PARA QUITAR LA ACIDEZ AL TOMATE)

PIMIENTA MOLIDA

COMINO MOLIDO

ROMERO

4 CUCHARADAS SOPERAS DE LEVADURA DE CERVEZA EN COPOS O EN POLVO

PREPARACIÓN

En una sartén grande poner el aceite y sofreír los ajos. Cuando estén dorados añadir la cebolla y dejarla pochar un poco. Añadir entonces los dos tipos de pimientos y también dejar pochar unos 5 minutos. Añadir entonces el calabacín y tapar la sartén, dejando cocinar a fuego lento durante 7-8 minutos, removiendo de vez en cuando para que no se pegue. Se agrega en ese momento la soja texturizada escurrida y se remueve para que absorba el sabor del resto de los alimentos. Se añade el tomate, la sal, el azúcar y las especias y se deja pochando todo a fuego lento, removiendo de vez en cuando, unos 10 minutos aproximadamente.

En la fuente del horno (previamente untada con un poco de aceite de oliva) se coloca una capa de placas de lasaña (4), luego una capa de sofrito, un poco de bechamel, otra capa de lasaña (4), otra de sofrito, otra de bechamel, otra de placas de lasaña (las últimas 4) y el resto de la bechamel, sobre ella se espolvorea la levadura de cerveza.

Meter en el horno 25-30 minutos a unos 200° C hasta que la levadura se ponga dorada. La levadura de cerveza aquí le da un punto salado muy bueno, pero si es la primera vez que se cocina, es mejor hornearla sin la levadura y luego añadir un poco en el plato para probar.

Nota sobre las placas de lasaña: lo primero que hay que hacer es asegurarse de que no lleva rastro de huevo por ninguna parte. Existen en el mercado placas de lasaña precocidas que se cuecen absorbiendo el calor y el líquido de los alimentos sobre las que se colocan. Eso facilita bastante el trabajo, pero si se utilizan éstas hay que asegurarse de que el sofrito y la bechamel te quedan más líquidos que con las placas de lasaña normales.

29. Arroz con setas y salsa de soja
Para 2 personas

INGREDIENTES
1 ½ VASO DE ARROZ
SALSA DE SOJA SUAVE
SETAS TROCEADAS
3 DIENTES DE AJO

PREPARACIÓN
Preparar arroz hervido por un lado, y por otro freír las setas con el ajo picado en una sartén grande. Luego se echa el arroz en la sartén sobre las setas, se mezclan ambas cosas y se añade la cantidad de salsa de soja justa para que el arroz coja un poco de color.

30. Kedgerbe

Para 4 personas

INGREDIENTES

350 G DE GUISANTES SECOS

180 G DE ARROZ DE GRANO LARGO

50 G DE MANTEQUILLA

SAL

PREPARACIÓN

Se lavan y remojan los guisantes y se cuecen en agua salada, mejor en la misma del remojo. Se lava el arroz y se agrega a los guisantes, cociendo todo hasta que quede bastante suave, aunque conservando enteros los granos de arroz. Se derrite mantequilla en una sartén y cuando esté lista, se vierte sobre la mezcla de arroz y guisantes, mezclando todo perfectamente.

Nota: esta receta también puede prepararse con lentejas en vez de guisantes. En el caso de usar guisantes precocidos, se cocina el arroz por separado y se añade posteriormente a las lentejas.

31. Arroz a la milanesa

Para 4 personas

INGREDIENTES

400 G DE ARROZ

50 G DE SETAS SECAS

1 CEBOLLA

4 HOJAS DE LAUREL

TOMILLO EN POLVO

PREPARACIÓN

Se ponen a remojar las setas secas en agua caliente. Se sofríe la cebolla y cuando esté bien dorada se le añade el arroz. Cuando éste empieza a dorarse se le echa agua caliente, sal, las setas (con el agua) y las hojas de laurel. Unos momentos antes de retirarlo del fuego se añade aceite de oliva y tomillo en polvo. La misma receta se puede preparar sustituyendo las setas secas por 400 g de guisantes frescos.

32. Paté francés

Para 6 personas

INGREDIENTES

200 G DE CHAMPIÑONES

100 G DE ACEITUNAS NEGRAS SIN HUESO

2 CUCHARADAS DE LEVADURA DE CERVEZA

6 REBANADAS DE PAN INTEGRAL TOSTADO

4 CEBOLLAS

MARGARINA

HIERBAS AROMÁTICAS

PREPARACIÓN

Se cortan bien las cebollas y los champiñones, se sofríen y se añade un poco de sal. Cuando está todo dorado y blando, se añaden las aceitunas. Aparte, se habrá puesto el pan a remojo con poca agua y las hierbas aromáticas: orégano, romero, tomillo. Escurrir el pan, mezclarlo todo sazonado con sal, hierbas aromáticas y levadura de cerveza. Pasar toda la masa por la trituradora y ponerla en tarrinas para servirlo una vez reposado. Puede sustituirse el pan por soja.

33. Crema de espárragos
Para 4 personas

INGREDIENTES
½ KG DE ESPÁRRAGOS
SALSA BECHAMEL
SAL MARINA

PREPARACIÓN

Pelar y lavar los espárragos. En esta receta se pueden aprovechar los trozos que se han reservado de las recetas que requerían sólo las puntas. Cortar los espárragos en trozos pequeños y cocerlos con poca agua y sal. Preparar la salsa bechamel. Cuando los espárragos estén tiernos se trituran con la batidora y se pasan por el pasapurés. Se añade entonces la salsa bechamel y se mezcla bien. Se pueden reservar algunos trocitos de espárragos, de la parte más tierna, para emplearlos como guarnición. En vez de los espárragos naturales se pueden utilizar espárragos de lata o incluso espárragos trigueros. En estos casos, hay que tener tener cuidado con la sal.

34. Potaje de tomate
Para 6-8 personas

INGREDIENTES

3 CUCHARADAS DE MARGARINA VEGETAL
½ TAZA DE HARINA (60 G)
1 L DE LECHE
1 LATA DE 500 G DE TOMATES AL NATURAL
¼ L DE CALDO DE VERDURAS

PREPARACIÓN

Poner en una cacerola la margarina, llevar al fuego hasta que se derrita y agregar poco a poco y siempre revolviendo la harina hasta formar una crema bien espesa. Incorporar lentamente la leche mezclando cada vez. Continuar revolviendo hasta que levante el hervor y espese. Incorporar el tomate picado y el caldo. Dejar cocer durante 10 minutos mezclando siempre con una cuchara de madera. Retirar y pasar por la licuadora para que quede como una crema. Se puede servir solo o con arroz previamente hervido.

35. Tarta de patata y puerros
Para 6 personas

Los puerros no sólo dan sabor a las comidas, sino que tienen la ventaja de que su aporte en calorías, grasa y sodio son casi inexistentes. Para elegirlos se trata de seleccionar aquellos que se vean húmedos (que da sensación de frescura), crujientes y que sus hojas estén verdes y sin marcas. La forma de elaborar el relleno de esta tarta le otorga un sabor realmente delicioso.

INGREDIENTES

MASA:

3 TAZAS DE HARINA DE MAÍZ (360 G)

1 CUCHARADITA DE SAL

15 G DE LEVADURA

100 G DE MANTECA O MANTEQUILLA (O MANTECA VEGETAL) BIEN FRÍA

AGUA FRÍA CON GAS

RELLENO:

8 BLANCOS DE PUERRO BIEN LAVADO Y CORTADO EN RODAJITAS. NOS REFERIMOS A LA PARTE BLANCA QUE TIENE EL PUERRO, LAS HOJAS NO

1/3 DE L DE LECHE

1 TAZA DE QUESO RALLADO

4 PATATAS MEDIANAS

SAL

PIMIENTA

NUEZ MOSCADA

PREPARACIÓN

Masa: cernir la harina, la levadura y la sal. Cortar la manteca en trozos pequeños mientras se la agrega a la harina. Se pisa con un tenedor hasta que la preparación quede granulada. Añadir el agua bien fría e ir formando la masa rápidamente aunque sin llegar a amasar. Formar un bollo, envolver en papel film y meter en la nevera hasta el momento de usar.

Relleno: poner en una cacerola pequeña los blancos de puerro y la leche. Cocinar hasta que la leche se consuma y la preparación quede como una crema. Retirar del fuego y agregar el queso rallado, las patatas cocidas y sin piel y condimentos a gusto. Mezclar todo hasta conseguir una masa homogénea.

Armado de la tarta: estirar las tres cuartas partes de la masa hasta que quede fina y forrar una tartera de 24 cm de diámetro sin enmantecar. Volcar el relleno y cubrir la tarta con la masa restante estirada. Pellizcar en los bordes. En el centro de la tarta realizarle unos cortes con la tijera para que salga el vapor. Llevar a horno moderado, 150º C, unos 30 minutos o hasta que esté bien cocida y dorada. Se puede servir tanto tibia como fría.

36. Vichyssoise

Para 4 personas

INGREDIENTES

150 G DE YOGUR NATURAL

2 PATATAS

2 TAZONES DE LECHE (½ L)

ALBAHACA FRESCA BIEN PICADA

2 CUCHARADAS DE ACEITE

3 BLANCOS DE PUERROS MEDIANOS

1 CEBOLLA PEQUEÑA

2 TAZAS DE CALDO VEGETAL (½ L)

SAL Y PIMIENTA BLANCA MOLIDA

PREPARACIÓN

Se rehoga la cebolla en una cacerola con 2 cucharadas de aceite. Luego se le añaden los puerros cortados en rodajas (solo la parte blanca) que se fríen a fuego medio removiéndolos constantemente. Cuando esté todo ligeramente dorado se añade el caldo, las patatas peladas y cortadas y la sal. Tapar dejándolo cocer unos 30 minutos. Pasado este tiempo se retira del fuego, se deja enfriar un poco y se muele con la batidora agregándole a su vez, el yogur, la leche y la pimienta. Una vez listo se reserva en la nevera unas 2-3 horas. Cuando esté frío se sirve adornándola con un poco de albahaca.

CAPÍTULO 3

Segundos platos

1. Tortilla de patatas sin huevo ni leche
Para 2 personas

INGREDIENTES

3 PATATAS

1 CEBOLLA

ACEITE DE OLIVA

15 CL DE AGUA

2 CUCHARADAS DE HARINA YOLANDA

PREPARACIÓN

Pelar las patatas y la cebolla, y cortarlas en rodajas finas. Cocerlas en abundante aceite de oliva, escurrir y mezclar con la harina y el agua; freír como si fuera una tortilla de patatas clásica.

2. Tortas de patata sin huevo

Para 4 personas

INGREDIENTES

5 PATATAS
ACEITE DE OLIVA
1 CEBOLLA (OPCIONAL)
SAL

PREPARACIÓN

Cocer las patatas con piel para que no se deshagan. Pelar y rallar con un rallador grueso. En una sartén caliente, verter un poco de aceite y la patata rallada, sin remover dejar que se haga una costra, dar la vuelta y dejar que se haga la costra del otro lado. Cuando se tenga práctica en conseguir su textura se puede ir añadiéndole hierbas aromáticas o quesos y vegetales cocidos y rallados.

3. Tortilla de patatas sin huevo (2)

Para 2 personas

INGREDIENTES

3 PATATAS

1 CEBOLLA

ACEITE DE OLIVA

2 CUCHARADAS DE HARINA YOLANDA

15 CL DE LECHE

COLORANTE ALIMENTARIO

PREPARACIÓN

Pelar las patatas y la cebolla. Cortarlas en rodajas finas. Cocerlas en abundante aceite de oliva. Escurrir. Mezclar con la harina y la leche. Freír como si fuera una tortilla de patatas clásica. Podemos añadir un poco de colorante alimentario para conseguir un tono similar al de la tortilla tradicional.

4. Pollo con calabacín y sémola

Por persona

INGREDIENTES

1 CEBOLLA PEQUEÑA

½ CALABACÍN

½ COGOLLO DE LECHUGA

2 CUCHARADAS DE SÉMOLA

40 G DE PECHUGA DE POLLO ASADA

1 RAMITO DE PEREJIL

1 CUCHARADA DE ACEITE DE OLIVA

PREPARACIÓN

Pelar la cebolla, lavar bien el calabacín y la lechuga, y cortarlos en dos pedazos. Cocer las verduras en 1 l de agua unos 8 minutos. Verter en el recipiente de cocción la sémola en forma de lluvia y dejar cocer unos 10 minutos, sin dejar de remover para evitar la formación de grumos. A continuación, triturar y añadir la pechuga de pollo también triturada. Antes de servir, añadir el aceite y el perejil trinchado.

5. Tortilla de patatas con espárragos trigueros

Para 2 personas

INGREDIENTES

3 PATATAS

1 CEBOLLA

ACEITE DE OLIVA

15 CL DE AGUA

2 CUCHARADAS DE HARINA YOLANDA

3 ESPÁRRAGOS TRIGUEROS

PREPARACIÓN

Cocinar la tortilla como en la receta nº 1, pero añadiendo los espárragos junto con la patata y la cebolla. Los espárragos hay que cocerlos y trocearlos antes de añadirlos; también los hay en bote y no hace falta cocerlos.

RECETAS CON PESCADO

6. Crema marinera
Para 4 personas

INGREDIENTES

1	LENGUADO FRESCO
1	TALLO DE APIO
1	ZANAHORIA
½	LIMÓN
½	L DE AGUA
5	CUCHARADAS SOPERAS DE SÉMOLA
1	CUCHARADITA DE ACEITE DE OLIVA

PREPARACIÓN

Dejar hervir durante 10 minutos el lenguado con la zanahoria, el apio y el limón. Retirar el pescado y las verduras, y colar el caldo de cocción. Introducir 1½ dl de caldo en una cacerola y añadir la sémola. Retirar del fuego y añadir el pescado, al que habremos quitado la piel y las espinas y pasado previamente por el pasapurés. Condimentar con la cucharadita de aceite de oliva. También pueden utilizarse otros tipos de pescado como filetes de merluza o de pescadilla.

7. Papilla de merluza

Para 2 personas

INGREDIENTES

1 RODAJA DE MERLUZA
1 PATATA
1 TALLO DE APIO
2 TOMATES MADUROS
½ ZANAHORIA
1 CUCHARADA DE ACEITE DE OLIVA
UNAS GOTAS DE ZUMO DE LIMÓN

PREPARACIÓN

En una cacerola con agua, introducir las verduras previamente lavadas y el pescado. Dejar cocer. Cuando esté todo cocido, escurrir el pescado, retirar la piel y las espinas, y pasarlo por el pasapurés junto con la patata, la zanahoria y los tomates. Añadir al puré obtenido unas gotas de zumo de limón y la cucharada de aceite.

8. Lenguado con verduras

Por persona

INGREDIENTES

1 FILETE DE LENGUADO

1 PUÑADO DE JUDÍAS VERDES

1 CALABACÍN

1 CUCHARADA DE QUESO RALLADO

1 CUCHARADA DE ACEITE DE OLIVA

PREPARACIÓN

Cocer las verduras, triturarlas y condimentarlas con el queso. Cocer el lenguado al vapor, condimentar con el aceite y servir con el puré de verduras.

9. Pescadilla con legumbres

Por persona

INGREDIENTES

1 FILETE DE PESCADILLA

1 PUÑADO DE GUISANTES Y DE ALUBIAS COCIDOS

½ LIMÓN

1 CUCHARADA DE ACEITE DE OLIVA

PREPARACIÓN

Cocer la pescadilla en agua hirviendo durante 15 minutos. Después, triturarla junto con el aceite de oliva y condimentar el puré resultante con el zumo de limón. Colocar en el plato junto con las legumbres cocidas y calientes.

10. Pastel de pescado
Para 4 personas

INGREDIENTES
400 G DE FILETES DE PESCADO CONGELADO (SIN ESPINAS NI PIEL)
250 G DE TOMATE FRITO (NATURAL)
2 CUCHARADAS DE HARINA DE MAÍZ
15 CL DE NATA LÍQUIDA
PAN RALLADO
ACEITE
SAL

PREPARACIÓN
Se pone el pescado con agua, sal y unas gotas de aceite y se apaga justo cuando empieza a hervir. Se enciende el horno a calor medio. Se escurre el pescado y se pone en el vaso de la batidora junto con la harina, el tomate y la nata, que se habrán trabajado antes hasta conseguir un compuesto muy fino. Se unta un molde con aceite, se espolvorea con pan rallado y se vuelca el compuesto. Se mete este molde en otro que habremos puesto en el horno a calentar con agua. Se deja al baño María unos 45 minutos o hasta que veamos que ha cuajado bien. Se desmolda y se puede servir frío o templado, con ensalada y mahonesa, sin huevo.

11. Rape a la plancha
Por persona

INGREDIENTES
1 RAPE DE RACIÓN

PREPARACIÓN
Cortar el rape en filetes estrechos y alargados. Añadir un poco de sal y un poquito de perejil y vuelta y vuelta en la plancha.

12. Calamares encebollados

Para 2 personas

INGREDIENTES

250 G DE CALAMARES CONGELADOS EN ANILLAS

2 AJETES TIERNOS

1 CEBOLLA

1 PIMIENTO VERDE

1 PIMIENTO ROJO

UNOS TACOS PEQUEÑOS DE JAMÓN SERRANO

5 CL DE VINO BLANCO

SAL

ACEITE Y AGUA

PREPARACIÓN

En una cacerola, pochar 1 cebolla o 2 cebolletas tiernas, un par de ajetes tiernos (un par de dientes de ajo también está bien) y un poco de pimiento verde y/o rojo. Añadir unos tacos de jamón serrano cuando esté la verdura bien transparente, añadir los calamares, un poco de vino blanco y un poco de agua y dejar cocer controlando que no se pasen los calamares. Para espesar la salsa se puede añadir maicena; al final corregir de sal teniendo cuidado porque el jamón ya lleva.

RECETAS CON CARNE

13. Brochetas variadas

POLLO (U OTRO TIPO DE CARNE BLANDA COMO PAVO O CERDO)

CHAMPIÑONES

PATATA

1 PIMIENTO VERDE

1 PIMIENTO ROJO

TOMATES CHERRY O AQUELLO QUE COMBINE

PREPARACIÓN

Trocear todo en tacos y freír; después intercalar cada cosa en un palo de brocheta, ponerle un poco de queso rallado y al grill. Esta puede ser una receta muy adecuada para preparar con niños.

14. Cuscús con verduras y carne

Para 4 personas

INGREDIENTES

250 G DE CUSCÚS

1 CEBOLLA MEDIANA

½ CALABACÍN

100 G DE JUDÍAS VERDES CONGELADAS

1 ZANAHORIA

250 G DE CARNE PARA ESTOFADO EN TACOS PEQUEÑOS

PIMENTÓN DULCE

SAL

ACEITE

AGUA

PREPARACIÓN

Calentar el cuscús en ¼ l de agua con 1 cucharada de aceite y una pizca de sal junto con la carne. Eliminar el agua sobrante una vez hecho (5 minutos aproximadamente, sin que llegue a hervir). Pochar un poco de cebolla y calabacín, y después añadir alguna verdura cocida más (judías y zanahoria) y la carne previamente cocida con el cuscús, en trocitos pequeños. Se tuesta un poco el cuscús con esa mezcla y se añade el agua de calentar el cuscús. Dejar reposar 10 minutos. Después mezclarlo todo. Se puede comer con las manos.

15. Albóndigas sin huevo ni leche

Para 4-6 personas

INGREDIENTES

750 G DE CARNE PICADA FRESCA

½ BARRA DE PAN

½ L DE LECHE DE SOJA

PAN RALLADO

AJO Y PEREJIL EN POLVO

SAL

ACEITE DE OLIVA

CEBOLLA

TOMATE FRITO

VINO BLANCO O CERVEZA

VERDURAS TIPO MENESTRA

PURÉ DE PATATAS O PATATAS FRITAS PARA LA GUARNICIÓN

PREPARACIÓN

Remojar la barra de pan desmenuzada en la leche de soja. Mezclar con la carne picada usando un tenedor hasta que quede una masa homogénea. Hacia la mitad del proceso añadir el ajo, el perejil y la sal al gusto. Hacer bolitas con la masa y rebozarlas con el pan rallado. Freír en abundante aceite caliente hasta que se doren y apartar. Tomar 3-4 cucharadas del aceite en el que hemos frito las albóndigas y rehogar en él la cebolla picada. Cuando esté lista, añadimos 3-4 cucharadas de tomate frito, la menestra y las albóndigas. A continuación, echamos 1 vaso de vino blanco o 1 cerveza. Si no se hace en olla exprés habrá que añadir más agua. Dejamos cocer al menos 20 minutos. Servir con las patatas fritas o el puré (realizado con leche de soja).

16. Champiñones rellenos

Para 4 personas

INGREDIENTES
300 G DE CHAMPIÑONES GRANDES
1 LONCHA DE JAMÓN SERRANO GRUESA
PEREJIL
ACEITE DE OLIVA

PREPARACIÓN

Limpiar bien los champiñones, secar y quitar los tallos. Reservarlos. Precalentar una bandeja apta para microondas unos 4 minutos. Disponer en la bandeja los champiñones e introducir en el horno, dejar unos 5 minutos a máxima potencia. Mientras tanto cortar y picar el jamón, los tallos de los champiñones reservados y el perejil. Mezclar bien. Transcurrido ese tiempo rellenar con el picadillo de jamón los champiñones puestos boca arriba, rociar con unas gotas de aceite. Introducir de nuevo en el microondas, con el grill puesto, 3 minutos a potencia media o hasta que se vean hechos.

17. Pimientos rellenos de carne

Para 4 personas

INGREDIENTES

6 PIMIENTOS MORRONES

4 TOMATES MADUROS

1 DIENTE DE AJO

200 G DE CARNE PICADA

ACEITE DE OLIVA

PAN RALLADO

12 LONCHAS DE QUESO DE BOLA

PIMIENTA NEGRA

SAL

PREPARACIÓN

Limpiar los pimientos y abrirlos por la mitad. Quitar las semillas y las nervaduras, lavarlos, escurrirlos y ponerlos a fuego lento en una sartén con un poco de aceite.

Preparar el relleno: rehogar el ajo, picado fino, y pochar a continuación el tomate, pelado, sin pepitas y picado fino. Salpimentar la carne picada, añadirla al tomate y saltearla durante 1-2 minutos.

Disponer los medios pimientos, boca arriba, en una fuente de horno. Rellenarlos con la carne picada y cubrirlos con un poco de pan rallado y 1 loncha de queso antes de meterlos al horno. Mantener a horno suave unos 30 minutos. Servir calientes.

18. Cuscús de cordero tradicional

Para 4-6 personas

INGREDIENTES

320 G DE SÉMOLA DE TRIGO DURO (PAQUETE ESPECIAL CUSCÚS)

1 KG DE TERNERA

CORDERO O POLLO TROCEADO EN TAQUITOS PEQUEÑOS

2 CEBOLLAS

1 PIMIENTO VERDE

2 PUERROS

2 TOMATES

TOMATE FRITO

2 ZANAHORIAS

150 G DE GARBANZOS COCIDOS (BOTE PREPARADO)

3 PATATAS MEDIANAS

ACEITE

SAL

ESPECIAS ÁRABES (PREPARADAS, SE SUELEN COMPRAR EN LOS MERCADOS MEDIEVALES) O COMINO Y AZAFRÁN (COLORANTE ALIMENTARIO)

MIEL

UVAS PASAS

CIRUELAS PASAS

PREPARACIÓN

Poner a hervir ⅓ l de agua, salar y echar 1 cucharadita de aceite de oliva y remover. Quitar del fuego, añadir el cuscús (80 g por persona) y dejar reposar (3-5 minutos) hasta que toda el agua haya sido absorbida. Añadir un poco de mantequilla y remover lentamente separando los granos de cuscús con un tenedor (apartar).

Preparación de la carne: la carne debe estar desde el día de antes adobada con las especias árabes y sal. Se echa un chorrito de aceite en una sartén amplia y se fríe la carne, se echa un chorrito de miel con un poquito de agua y se añaden las uvas pasas; estará en el fuego unos 20 minutos vigilando que no se queme y removiendo de vez en cuando.

Preparación de la verdura: pelar y lavar las cebollas, las zanahorias, los puerros, el pimiento y los tomates. Cortar toda la verdura en tiras a lo largo, la cebolla juliana y el tomate en taquitos. En una cacerola o sartén mediana se echa la cebolla, la zanahoria y el pimiento primero con un chorro de aceite y se fríe (sirve igual si no se tiene toda la de la receta) y cuando está un poco blandito todo echar los puerros, los tomates y las ciruelas pasas (2 por persona). Salar y remover bien de vez en cuando. Dejar que se sofría a fuego lento unos 5 minutos.

Servir en el mismo plato por separado el cuscús, la carne y la verdura.

19. Patatas rellenas de carne picada
Para 4 personas

INGREDIENTES

4 PATATAS (DE IGUAL TAMAÑO)

300 G DE CARNE PICADA MIXTA (O DE SALCHICHAS FRESCAS)

300 G DE MIGA DE PAN MOJADA EN LECHE DE SOJA

50 G DE MANTEQUILLA

1 O 2 CEBOLLAS

½ PIMIENTO VERDE

PREPARACIÓN

Picar el pimiento y la cebolla muy finos (ambos en crudo), añadir la miga de pan mojado en leche (o pan de molde), la mantequilla y la carne o las salchichas sin la piel externa. Remover bien, añadir sal y pimienta. Cocer las patatas previamente con su piel unos 20 minutos, antes de que se asen, para que se hagan bien. Cortar por la mitad y vaciarlas de su parte central (es mejor que sean grandes), rellenarlas con el compuesto anterior, montar una mitad de patata con otra, atar las dos mitades, sazonar las patatas, añadir unas gotas de aceite y envolver con papel de aluminio. Repetir con las otras 3 patatas todo el proceso. Precalentar el horno a 180° C. Hornear aproximadamente 40-45 minutos, si las patatas son grandes.

20. Empanadillas de carne

Para 6-8 personas

INGREDIENTES

PICADILLO DE CARNE Y TOCINO DE JAMÓN

½ CEBOLLA

ACEITE

SAL

2 SOBRES DE OBLEAS SIN HUEVO

PREPARACIÓN

Picar la carne y el tocino y salarlos. En una sartén calentar aceite y rehogar la cebolla picada; cuando esté a medio dorar, echar la carne y darle unas vueltas. Rellenar las obleas de las empanadillas, cerrarlas y freírlas en aceite caliente para dorarlas. Si queremos podemos hacer nosotros la masa de las empanadillas: mezclar a partes iguales vino blanco y aceite (1 vaso de cada). Poner 300 g de harina con un poco de sal, en la superficie o encimera añadir la mezcla, amasar bien para que resulte una masa ligera y extender con el rodillo. Cortar tiras para formar las empanadillas, rellenar y freír.

21. Terrina de carne

Para 8 personas

INGREDIENTES

500 G DE PANCETA DE CERDO FRESCA

400 G DE PECHUGA DE POLLO

350 G DE TERNERA

2 DL DE VINO BLANCO

10 BAYAS DE ENEBRO

½ DL DE OLOROSO

PIMIENTA NEGRA

SAL

PIMIENTA BLANCA Y NEGRA

PREPARACIÓN

Pedir al carnicero que pase las carnes 2 veces, para que se mezclen bien. Precalentar el horno a 180° C. Poner en un cuenco las carnes picadas, los vinos, 1 cucharada de pimienta machacada y las bayas de enebro. Sazonar y mezclar hasta unir bien los ingredientes. Echar la carne en una terrina, cubrir con papel de horno sujeto con un cordel y colocar en una rustidera o fuente de horno con agua fría hasta la mitad de la altura. Dejar cocer 1½ horas. Dejar enfriar. Servir en la misma terrina acompañada de las tostadas y mermelada de tomate.

22. Croquetas (sin leche ni huevo)

INGREDIENTES

6 CUCHARADAS DE HARINA

½ L DE CALDO VEGETAL O DE COCIDO

SAL

ACEITE

EL INGREDIENTE DESEADO PARA EL RELLENO

ZUMO DE NARANJA

PAN RALLADO

PREPARACIÓN

En una sartén con un poco de aceite tostar la harina. Añadir poco a poco el caldo, sin parar de remover. Dejar hervir la bechamel unos 15 minutos, removiendo para que no se pegue. Por último, incorporar el ingrediente deseado como relleno: atún, jamón serrano, jamón york, pollo, champiñones rehogados, etc. Dejar reposar la mezcla tapada con un paño unas 2 horas como mínimo en el frigorífico. Después, formar las croquetas, pasarlas primero por zumo de naranja y después por el pan rallado (si la bechamel quedara muy clara, pasarlas antes por harina). Por último, freírlas.

23. Pimientos rellenos de morcilla

Para 4 personas

INGREDIENTES
1 LATA DE PIMIENTOS MORRONES
1 MORCILLA DE BURGOS SIN PIÑONES
TOMATE FRITO
SALSA BECHAMEL

PREPARACIÓN

Quitar la piel a la morcilla y mezclar con el tomate frito hasta conseguir una pasta homogénea; pasar por la sartén para precocinar. Rellenar los pimientos con la morcilla y colocar en una fuente de horno. Cubrir con la salsa bechamel, que se habrá preparado previamente, y gratinar en el horno durante 10 minutos o hasta que se aprecie que está hecho.

24. Hojaldre de carne
Para 4 personas

INGREDIENTES

400 G DE CARNE PICADA

2 CEBOLLAS

1 PIMIENTO MORRÓN

2 CUCHARADAS SOPERAS DE MOSTAZA

1 CUCHARADA SOPERA DE PEREJIL PICADO

1 CAJA DE HOJALDRE CONGELADO

SAL Y PIMIENTA A GUSTO

PREPARACIÓN

Previamente sacar las placas de hojaldre del congelador y dejar a temperatura ambiente. En una sartén con un chorrito de aceite saltear las cebollas, el pimiento morrón picado y la carne picada. Incorporar la mostaza y el perejil, salpimentar y mezclar bien. Colocar en una fuente de horno una placa de hojaldre, luego el relleno y cerrar con la otra placa de hojaldre, sellar con un tenedor y pinchar varias veces para evitar burbujas. Llevar al horno a 180° unos 20 minutos o hasta que estén doradas.

25. Lomo a la sal

INGREDIENTES

1 TROZO GRANDE DE CINTA DE LOMO DE CERDO

1 ½ KG DE SAL GORDA

1 VASO DE VINO BLANCO

ESPECIAS O HIERVAS AL GUSTO (OPCIONAL)

PREPARACIÓN

Lavar un poco el trozo de lomo y espolvorear con especias al gusto si se desea. Yo pongo solo un poco de ajo en polvo. Poner en un cuenco 1½ kg de sal gorda un poco húmeda. Hacer una especie de cuenco con la sal en el recipiente de horno que vamos a utilizar. Colocar el lomo en el recipiente y cubrir bien con el resto de la sal, hasta que quede envuelta en una especie de cofre. Precalentar el horno e introducir el lomo unos 90 minutos a 180-200° C (el tiempo variará según el tamaño de nuestra pieza). Pasado ese tiempo damos unos golpecitos sobre la sal para que se abra la costra y cortamos los filetes muy finos.

26. Caldereta

Para 4 personas

INGREDIENTES

500 GR DE CARNE DE TERNERA PARA GUISO (SIN HEBRAS) A TROZOS
1 CEBOLLA PICADA
2 ZANAHORIAS PICADAS
1 PIMIENTO VERDE PICADO
3 DIENTES DE AJO
1 TOMATE MADURO SIN PIEL NI PEPITAS
2 REBANADAS DE PAN
SAL
ACEITE
POLVO DE AJO
PIMIENTA
PIMENTÓN
COMINO
LAUREL
VINO BLANCO O FINO
1 VASO DE AGUA

PREPARACIÓN

Dorar la carne de ternera en aceite de oliva y en la misma olla exprés que utilizaremos para ablandar más rápido el guiso. Lavar la carne antes un poco y añadir sal, pimienta y ajo en polvo. Una vez que la carne se ha sellado, la reservamos aparte, y en el mismo aceite preparamos un buen sofrito con la cebolla, el pimiento verde, 1 ajo y 2 zanahorias, todo muy bien picado. Añadir también 1 hoja de laurel y 1 pizca de sal. Cuando la verdura está blanda, añadir el tomate también picado y sin pepitas ni piel. Dejar hacer todo unos minutos. Volver a incorporar la carne a la olla. Majar los otros 2 ajos con un poco de perejil y echar como 1 vaso de vino blanco o fino al mortero para incorporar luego todo con la carne.

Dejar reducir unos 3 minutos a fuego fuerte. Mientras, preparar las rebanadas de pan, tostándolas, cortándolas y machacándolas en el mortero. Añadir además un poco de pimentón y comino. Llenar el mortero con agua y echar todo en la olla. La carne debe quedar cubierta. Cerrar la olla y poner durante 25-30 minutos a fuego medio. Pasado ese tiempo y una vez haya desaparecido el vapor, destapamos la olla y dejamos hacer la carne un poco más, a fuego medio también, pero esta vez destapada, con idea de controlar la cantidad y espesor que queremos de salsa. Remover de vez en cuando para que no se asiente, pues la salsa sale espesa. Acompañar con unas patatas cortadas como para tortillas y fritas.

27. Pollo a la coca-cola

INGREDIENTES

1 POLLO TROCEADO Y SIN PIEL

1 SOBRE DE SOPA DE CEBOLLA

1 CEBOLLA

2 ZANAHORIAS

3 PATATAS

1 PIZCA DE TOMILLO

1 LATA DE COCA-COLA (330 CC)

PREPARACIÓN

Lavar los trozos de pollo y salpimentar al gusto. Colocar en un recipiente de horno, echar un poco de ajo en polvo y añadir las cebollas y las zanahorias picadas y las patatas a trozos previamente saladas. Bañamos con la lata de coca-cola. Espolvoreamos con la sopa de cebolla y un poco de tomillo. Introducimos en el horno precalentado a 180° como 1½ horas o poco más, dándole la vuelta al pollo cada ½ hora más o menos, para que se dore por todos lados por igual. Cuando el pollo esté listo, pasar la salsa por la batidora y servir aparte.

28. Pechuga rellena con salsa de champiñones al horno

Para 4 personas

INGREDIENTES

8 FILETES DE PECHUGA DE POLLO

200 G CHAMPIÑONES

8 LONCHAS BACÓN

1 VASO NATA LIQUIDA

½ CEBOLLA

50 G QUESO EN POLVO

PEREJIL PICADO

SAL

PIMIENTA

PREPARACIÓN

Sazonar los filetes de pollo con sal y pimienta. Hacer rollitos con los filetes y el bacón, sujetar con un palillo y colocar en una fuente para horno, espolvoreando un poco de perejil picado. Poner a precalentar el horno y mientras tanto preparar la salsa, picar la cebolla y los champiñones y añadir la nata y el queso rallado; triturar todo junto. Echar la salsa por encima de los rollitos de pechuga y bacón, y espolvorear un poco de queso rallado en cada rollito. Meter la fuente en el horno, a 180° C durante 45 minutos.

29. Berenjenas rellenas de carne

Para 4 personas

INGREDIENTES

4 BERENJENAS

½ KG DE CARNE PICADA

TOMATE FRITO

QUESO RALLADO

SAL

ACEITE DE OLIVA

½ CEBOLLA

PREPARACIÓN

Lavar las berenjenas y partirlas por la mitad, echar un chorrito de aceite de oliva y una pizca de sal sobre cada mitad y meter en el microondas unos 25 minutos, según potencia. Mientras, partir la cebolla y hacer un sofrito con la cebolla y la carne picada; cuando esté listo añadir el tomate frito y remover. Sacar las berenjenas y vaciarlas de la carne cortándola en trocitos pequeños con cuidado para que no se rompa la piel. Mezclamos la carne de las berenjenas con el sofrito de cebolla y carne picada y removemos bien. Rellenarmos las berenjenas con la mezcla y cubrimos con queso rallado para gratinar. Introducimos en el horno o microondas hasta que estén doradas.

30. Pechugas de pato a la naranja
Para 4 personas

INGREDIENTES

4 PECHUGAS DE PATO

3 NARANJAS

MANTEQUILLA

AZÚCAR

CALDO DE CARNE

LICOR DE NARANJA

VINAGRE

SAL

PIMIENTA

PREPARACIÓN

Salpimentar las pechugas de pato, trocearlas al gusto y freírlas en una sartén. Apartar.

Para la salsa: En una sartén derretimos 1 cucharada de mantequilla, ponemos azúcar y hacemos caramelo. Cuando ya esté dorado añadimos el zumo de 2 naranjas y removemos con una cuchara de madera hasta que el caramelo se disuelva. Añadimos entonces los licores y el caldo de carne (opcional) y dejamos que hierva a fuego vivo 5 minutos; sazonamos y añadimos la corteza de 1 naranja cortada en tiras muy finas y los gajos de la naranja. Colocamos en una fuente las pechugas de pato y remojamos con la salsa por encima. Podemos acompañarlas con patatas fritas o cocidas con comino.

31. Empanada gallega de lomo de cerdo

Para 6-8 personas

INGREDIENTES

Para el relleno:

2 CEBOLLAS MEDIANAS

1 LATITA DE PIMIENTO MORRÓN

8 FILETES DE LOMO DE CERDO FRESCO CORTADOS EN TROZOS DE UNOS 3 CM

ACEITE

AJO EN POLVO

SAL

Para la masa:

½ KG DE HARINA CON LEVADURA INCORPORADA

2 CUCHARADITAS RASAS DE SAL

1 ½ VASO DE AGUA TEMPLADA

4 CUCHARADAS DE ACEITE DE OLIVA

PREPARACIÓN

De la masa: Precalentar el horno a 50º C unos 10 minutos y apagarlo. Echar en un cuenco la harina, la sal, el agua y el aceite. Mezclar todo con una cuchara, se amasa bien en una superficie plana y se espolvorea con harina; se sigue amasando unos 10 minutos hasta que no admita más harina, que será cuando la masa no se pegue en las manos. Ponerla en un plato y taparla con un paño, meterla en el horno (precalentado y apagado) a reposar con la puerta medio abierta 30 minutos. Habrá aumentado su volumen. Reservar.

Del relleno: Adobar los trozos de filetes con ajo en polvo y sal, freír en sartén con aceite y reservarlos. Añadir más aceite y sofreír la cebolla cortada en fina juliana a fuego muy lento, que se ablande pero que no se dore. Cuando esté blanda añadimos la carne y el morrón troceado con su jugo, dejando dar un hervor, y reservamos.

Confeccionar la empanada: Dividimos la masa en dos partes. Hacemos la base, que tendrá el tamaño de la bandeja de horno, la estiraremos con ayuda del rodillo; ponemos sobre la bandeja un trozo de papel para horno y encima la base cortando el sobrante si es el caso. Añadimos el relleno bien escurrido de aceite y lo estiramos por toda la base. Tapamos con la otra mitad bien estirada y la sellamos por los bordes trenzando la parte inferior sobre la superior, en la que haremos un agujero en el centro pellizcándole con dos dedos, y con un tenedor la pinchamos por distintas zonas para que no se hinche. La metemos en el horno precalentado a 180º C primero por abajo unos 15 minutos y luego unos 25 minutos más por ambos lados. Pintamos con un pincel impregnado en aceite de oliva para dorar. El relleno se puede hacer según gustos.

32. Pizza de jamón york con pan de molde

Para 4 personas

INGREDIENTES

1 PAQUETE DE PAN DE MOLDE

QUESO RALLADO PARA GRATINAR

TOMATE FRITO

ORÉGANO

MANTEQUILLA O ACEITE DE OLIVA SUAVE

INGREDIENTES QUE NOS GUSTEN (JAMÓN YORK, BACÓN, SALCHICHAS...)

PREPARACIÓN

Precalentar el horno a 220º C (sólo abajo) y mientras, con ayuda de una servilleta, untamos mantequilla o aceite por la bandeja de horno. Poner encima los panes de molde necesarios para cubrir toda la bandeja. Echamos tomate frito y con ayuda de una cuchara lo extendemos por toda la superficie. Extendemos bien el queso rallado y espolvoreamos con orégano. Troceamos los ingredientes que hayamos elegido para nuestra pizza y los repartimos. Metemos al horno en la parte más baja y dejamos unos 12-15 minutos.

33. Carne de colores
Para 4 personas

INGREDIENTES

1 CEBOLLA MEDIANA PICADA

1 DIENTE DE AJO PICADO MENUDO

500 G DE CARNE PICADA DE VACA SIN GRASA

¼ TAZA DE JEREZ

½ CUCHARADITA DE COMINO

½ CUCHARADITA DE ORÉGANO

⅛ CUCHARADITA DE SAL

1 PIZCA DE PIMIENTA ROJA MOLIDA

¼ TAZA DE UVAS PASAS

1 TAZA DE PIÑA CORTADA EN CUBITOS, FRESCA O ENVASADA PERO SIN ALMÍBAR

1 TARRO DE TOMATES EN TROZOS

1 PIMIENTO VERDE MEDIANO PICADO

¼ TAZA DE PIMIENTO ROJO PICADO

Esta receta será muy útil para rellenar empanadillas, o simplemente acompañar con pan. También se puede envolver la carne caliente en lechuga fresca... y servir.

PREPARACIÓN

En una sartén grande, a fuego mediano, dorar la carne picada, la cebolla y el ajo hasta que la cebolla esté blanda y la carne haya perdido su color rosado (bien cocida) y el líquido que suelta la carne salga claro. Escurrir toda la salsa que suelte. Agregar los demás ingredientes, excepto los pimientos picados. Cocinar suavemente unos 5 minutos. Agregar los pimientos y cocinar hasta que se calienten un poco.

34. Lasaña de carne

Para 8 personas

INGREDIENTES

1 KG DE CARNE PICADA DE TERNERA

1 CAJA DE LAMINAS DE LASAÑA SIN HUEVO

1 CEBOLLA PICADA

6 DIENTES DE AJO PICADOS

2 KG DE TOMATE TRITURADO

½ VASO DE VINO TINTO

3 CUCHARADAS CONCENTRADO DE TOMATE

140 ML NATA LÍQUIDA

50 ML DE LECHE

1 CUCHARADITA DE HARINA DE MAÍZ

½ KG DE QUESO MOZZARELLA EN LÁMINAS

TOMILLO

LAUREL

ACEITE

PREPARACIÓN

Primero rehogamos la carne picada y salteamos la cebolla. Agregamos el tomate, el vino, el ajo, el concentrado de tomate, unas hojas de tomillo, una de laurel y la carne picada, y lo dejamos cocer durante 1 hora. Al final, añadimos la leche mezclada con la harina de maíz, como para una bechamel. Mezclamos todo bien. Colocamos 200 ml de la mezcla de carne en la bandeja del horno y disponemos una lámina de pasta. Espolvoreamos una tercera parte de la mezcla de queso, y repetimos la operación hasta terminar con la capa de carne, y cubrimos con la mozzarella y de nuevo con parmesano. Gratinamos unos 45 minutos, y luego dejamos reposar 5 minutos más antes de cortarla.

35. Solomillo a las cuatro pimientas

Para 4 personas

INGREDIENTES

4 SOLOMILLOS DE CERDO

2 DL CALDO DE CARNE

1 COPITA DE JEREZ

HARINA DE MAÍZ

2 DL CREMA DE LECHE

GRANOS DE PIMIENTA NEGRA, BLANCA, ROJA Y VERDE

ACEITE DE OLIVA

PREPARACIÓN

Primero limpiar los solomillos de nervios y grasas y sazonar. Luego poner en una sartén un chorrito de aceite y sellar y dorar los solomillos. Reservamos la carne procurando mantener el calor. En la misma sartén echar el jerez y añadir un poco de agua. Aparte, diluir la harina de maíz en un poco de agua fría y la incorporamos a la sartén. Cocer la salsa hasta que espese y luego la pasamos por el chino. Volvemos a poner la salsa al fuego y le añadimos la crema de leche y varios granos de pimienta de todos los colores, dejándolo cocer 5 minutos. Servir los solomillos con la salsa por encima.

36. Canelones de pollo
Para 4 personas

INGREDIENTES

Para el relleno:

1 CAJA DE CANELONES

1 PECHUGA DE POLLO

1 LATA DE PATE DE AVE O DE CERDO

¡¡¡CONTROLAR EL CONTENIDO DE HUEVO EN LA PASTA Y EN EL PATÉ!!!

100 G DE CARNE DE CERDO PICADA

1 CEBOLLA BLANCA MEDIANA

ACEITE

QUESO PARMESANO RALLADO

Para la salsa:

50 G DE MANTEQUILLA

2 CUCHARADAS DE HARINA

½ L DE LECHE FRESCA

NUEZ MOSCADA

SAL (AL GUSTO)

½ TAZA DE QUESO PARMESANO

PREPARACIÓN

En el aceite sofreír la cebolla picada. Añadir la carne y el paté. Remover y freír hasta que tomen color. Agregar la pechuga de pollo picada y remover. Sazonar con sal y pimienta y cocinar 3 minutos. Rellenar los canelones y colocarlos en una fuente untada con mantequilla. Bañar los canelones con esta salsa. Espolvorear con queso parmesano rallado y meter al horno fuerte hasta que se gratinen.

Si los queremos hacer con salsa bechamel, derretir en una olla no muy profunda la mantequilla y agregarle la harina; mezclar y luego incorporar poco a poco la leche para evitar que salgan grumos; sazonar con sal, pimienta blanca y nuez moscada y finalmente agregar queso parmesano. Bañar los canelones con la salsa y espolvorear con queso parmesano. Llevar la fuente al horno con temperatura fuerte para que se gratinen.

37. Pastel de carne

Para 4 personas

INGREDIENTES

½ KG DE CARNE PICADA

2 CEBOLLAS GRANDES

3 TAZAS DE PURÉ DE PATATAS

ACEITUNAS VERDES

QUESO RALLADO

MANTEQUILLA

PIMIENTO ROJO EN TIRAS

SAL

PIMIENTA Y ESPECIAS AL GUSTO

PREPARACIÓN

Comenzar picando bien finas las cebollas y ponerlas a sofreír en una cacerola. Cuando estén doradas será el momento de añadir la carne picada. Dejar que se cocine bien y que suelte una buena cantidad de jugo. Agregar con el fuego apagado las aceitunas y los huevos cocidos picados.

Mientras tanto, colocar en una fuente para horno una capa de puré de patatas empleando una parte del mismo. Cuidar de que quede bien espeso. Luego añadir el relleno de carne picada y cubrir con el resto del puré. Para finalizar, tener el horno precalentado bien fuerte. Pincelar con mantequilla por encima y espolvorear con una buena ración de queso rallado. Llevar al horno unos 10-15 minutos hasta que esté gratinado.

38. Medallones de solomillo en salsa cibrandy
Para 2 personas

INGREDIENTES

1 SOLOMILLO DE CERDO (APROXIMADAMENTE 500 G)

200 G DE CEBOLLA

75 G DE CIRUELAS PASAS SIN HUESO

75 G DE OREJONES DE MELOCOTÓN

500 ML DE CALDO DE POLLO

60 ML DE BRANDY DE JEREZ

1 CUCHARADA DE HARINA

2 CUCHARADAS DE AZÚCAR

14 CUCHARADAS DE ACEITE DE OLIVA

PREPARACIÓN

Llenar un cacharro de agua y echar las ciruelas pasas y los orejones para que se rehidraten un poco. Poner a calentar 8 cucharadas de aceite en una olla o cacerola (que no sea muy pequeña pues terminará recibiendo toda la carne y el caldo). Pelar la cebolla, cortarla en juliana (en tiras) y echarla a la sartén con una pizca de sal. Pochar. Mientras, preparar la carne. Quitar el exceso de grasa y cortar el solomillo en rodajas de no más de 1 cm de ancho. Después salpimentamos por ambos lados. Calentar en una sartén a parte (debe ser grande pues tiene que caber toda la carne) 6 cucharadas de aceite, y cuando esté bien caliente añadir todos los medallones. Dorar y sellar bien por ambos lados. Cuando esté, quitar la sartén del fuego y colocar los medallones de solomillo en un plato. Calentar el caldo de pollo. Ahora con la sartén fuera del fuego añadir el brandy y las 2 cucharadas de azúcar. No hagas esto con la sartén en el fuego o saltará mucho y puedes quemarte. Después de añadir el brandy y el azúcar, pon a fuego muy fuerte para que se queme el alcohol y se forme un almíbar muy ligero (1 minuto más o menos). Raspar bien el fondo de la sartén con una cuchara de madera para que se suelte todo el doradito que se ha quedado allí mientras hacíamos los medallones. Una vez que la cebolla esté bien pochada, añadir 1 cucharada de harina y remover unos segundos. A continuación añadir el caldo de pollo bien caliente y la mezcla de la sartén con el brandy. Remover bien y añadir los medallones que teníamos reservados. Dejar a fuego medio, de forma que se mantenga un borboteo en la salsa y que así se vaya reduciendo poco a poco. Escurrir las ciruelas y los orejones. Picar las ciruelas y dejar los orejones enteros. Añadirlos a la salsa y dejar que ésta se reduzca hasta que tenga la consistencia deseada (20-30 minutos). Vigilar y remover la salsa, pues el azúcar hará que se pegue el fondo.

39. Fondue de carne o fondue bourguignon
Para 4 personas

INGREDIENTES

500 G DE CARNE DE TERNERA MUY TIERNA

700 CL ACEITE DE SEMILLAS (GIRASOL O SOJA)

1 HOJA DE LAUREL

1 PATATA PEQUEÑA

SALSAS VARIADAS Y PAN PARA SERVIR

PREPARACIÓN

Limpiar muy bien la carne de durezas y grasa, y cortar en dados de 2 cm, lo justo para un bocado. Colocar la carne en cuencos para llevar a la mesa. Calentar el aceite en el recipiente de la fondue, en el fuego de la cocina, hasta que empiece a humear un poco. Apartar del fuego y añadir 1 patata pequeña pelada, que evitará que el aceite se queme, y 1 hoja de laurel, para aromatizarlo un poco. Llevar el recipiente a la mesa, colocándolo sobre el fuego de alcohol, para mantener la temperatura. Vamos pinchando trozos de carne, y cada comensal los irá friendo en el aceite, hasta que tengan el punto deseado. Es conveniente no freír en exceso, ya que la carne quedaría muy seca. Luego se moja en la salsa preferida antes de comerla.

Las salsas que usaremos dependen de nuestros gustos. Lo más sencillo es preparar una mayonesa casera sin huevo, que podemos aromatizar con curry, mostaza, hierbas, ajo, etc., y luego servidas por separado. Muy tradicionales son la salsa bearnesa y la salsa tártara. Tampoco queda mal con un kétchup de calidad, o algún chutney de frutas o de tomate especiado.

40. Strogonoff de pollo

Para 4-6 personas

INGREDIENTES

1 KG DE PECHUGA DE POLLO SIN PIEL NI HUESO CORTADA EN CUBOS

3 CUCHARADAS DE HARINA

3 CUCHARADAS DE MANTECA

2 DIENTES DE AJO PICADOS

1 CEBOLLA GRANDE PICADA

250 G DE CHAMPIÑONES FILETEADOS

250 CL DE PURÉ DE TOMATE

1 CUCHARADA DE MOSTAZA

1 CUCHARADA DE KÉTCHUP

1 TAZA DE VINO BLANCO

400 CC DE CREMA DE LECHE

½ CUCHARADITA DE PIMENTÓN DULCE

SAL Y PIMIENTA A GUSTO

Para acompañar:

ARROZ BLANCO Y PATATAS PAJA

Para decorar:

PEREJIL PICADO

PREPARACIÓN

En una cacerola colocar la manteca y perfumarla con los ajos hasta que se funda. Incorporar los cubos de pollo previamente pasados por harina y dorarlos por todos sus lados a fuego medio. Agregar la cebolla y rehogarla, luego los champiñones, el puré de tomate, la mostaza, la salsa kétchup y el vino blanco. Mezclar bien y dejar que la preparación rompa el hervor; se deja cocinar 5 minutos más, revolviendo cada tanto. Añadir la crema de leche y el pimentón. Mezclar y dejar que recupere el hervor y seguir cocinando a fuego bajo hasta que el pollo esté cocido. Servir el plato con arroz blanco y papas paja, espolvoreado con perejil picado.

41. Lomo relleno de bacón, ciruelas y manzana asada

Para 6 personas

INGREDIENTES

1 KG DE CINTA DE LOMO DE CERDO
5 LONCHAS DE BACÓN
100 G DE CIRUELAS PASAS SIN HUESO
300 G DE CEBOLLA
120 ML DE ACEITE DE OLIVA
1 MANZANA AMARILLA
10 G DE MANTEQUILLA SIN SAL
250 ML DE VINO PEDRO XIMÉNEZ
250 ML DE CALDO DE POLLO
1 CUCHARADA DE HARINA
SAL Y PIMIENTA

PREPARACIÓN

Poner el horno a 200°, lavar bien la manzana, sacarle el corazón y meter en ese hueco un trocito de mantequilla. Luego pinchar con el cuchillo varias veces la manzana, para que no se reviente con el calor, y colocar dentro de una fuente con agua que meteremos en el horno 25 minutos. Picar bien la cebolla y colocarla en 80 ml de aceite de oliva y con 1½ cucharadas de sal dejarla a fuego medio pero sin que se queme. Después tomar el lomo, abrirlo a lo largo por la mitad y condimentar con sal y pimienta a gusto, teniendo en cuenta que el bacón ya viene bastante salado. Añadir las manzanas cortadas y las ciruelas formando una tira al lado del lomo, luego enrollar el lomo de manera que la tira de frutas quede en el centro de la carne cortada, y finalmente atar todo con un cordel especial para cocinar. Mientras tanto, agregar caldo de pollo y 1 cucharada de harina a la cebolla y mantenerla a fuego medio. Después poner una sartén con 40 ml de aceite de oliva a fuego fuerte, y cuando el aceite esté bien caliente, colocar el lomo enrollado y el bacón, y tapar. Luego de unos minutos echar el lomo a la cebolla y dejar 18 minutos al fuego, y ya está listo para comer.

42. Ensalada de carne picada

Para 4 personas

INGREDIENTES

250 G DE CARNE PICADA

SALSA VINAGRETA

PIMIENTOS MORRONES

LECHUGA

ACEITUNAS

PREPARACIÓN

La carne picada muy menuda se fríe con muy poco aceite, y una vez frita y fría, se mezcla con salsa vinagreta. Se coloca en el centro de una fuente redonda y a su alrededor hojas de lechuga, las aceitunas y los pimientos en tiras para decorar el plato.

43. Filetes griegos

Para 4 personas

INGREDIENTES

4 FILETES FINOS Y LARGOS DE TERNERA

½ KG DE CARNE PICADA DE CORDERO

ESPECIAS (MEZCLA DE TOMILLO, ORÉGANO, ROMERO, COMINO Y PIMIENTA NEGRA)

½ CEBOLLA

4 LONCHAS DE QUESO SIN HUEVO, A SER POSIBLE FETA

ACEITE DE OLIVA

HARINA Y SAL

PREPARACIÓN

Picar la cebolla, espolvorear la carne picada con la mezcla de especias, la cebolla picada y la sal. Pasar por la sartén. Extender cada filete de ternera sobre una tabla. Colocar encima de cada filete un poco del sofrito de la carne picada y una loncha de queso feta, enrollar, pasar por harina y freír en abundante aceite caliente. Escurrir sobre papel de cocina absorbente y servir

COCINA FÁCIL PARA ALÉRGICOS

CAPÍTULO 4

Salsas

1. Ajo de leche (ali-oli)

INGREDIENTES

LECHE DE VACA O DE SOJA

4-5 DIENTES DE AJOS Y SIN CORAZÓN

SAL

ZUMO DE LIMÓN

ACEITE DE OLIVA

PREPARACIÓN

Depositar en el recipiente de la batidora 5 cl de leche, los dientes de ajos previamente pelados y sin corazón, sal y zumo de limón al gusto y unos 5 cl de aceite de oliva. Batir sin mover el vaso ni la batidora hasta que emulsione. Ir añadiendo poco a poco aceite de oliva moviendo la batidora hasta que el ajo esté en su punto.

2. Salsa inesperada

INGREDIENTES

6 CL DE ACEITE

130 G DE CEBOLLA

2 DIENTES DE AJO

1 CUCHARADA DE ORÉGANO

1 CUCHARADITA DE COMINO EN POLVO

1 CUCHARADITA DE PIMIENTA

2 CL DE VINAGRE

25 CL DE AGUA

20 G DE MOSTAZA

125 G DE KÉTCHUP

30 G DE AZÚCAR

1 LATA DE COCA-COLA (QUE NO SEA LIGHT)

SAL

PREPARACIÓN

Verter en el vaso de la batidora todos los ingredientes y triturar 30 segundos; luego calentar hasta dejar tibia toda la mezcla y volver a batir durante unos minutos la mezcla, a velocidad baja, hasta que emulsione.

Nota: esta salsa es perfecta para acompañar carnes. La mezcla de ingredientes es un poco rara pero está muy rica.

3. Salsa bechamel sin leche

INGREDIENTES

25 G DE MARGARINA VEGETAL (SIN LECHE)
25 G DE MAICENA
45 CL DE LECHE DE SOJA
50 G DE CEBOLLA MUY PICADA
SAL
PIMIENTA
NUEZ MOSCADA

PREPARACIÓN

Poner a derretir la margarina en un cazo y sofreír la cebolla a fuego mediano hasta que se ablande. Retirar del fuego. Mezclar en un cuenco la maicena con 3 cucharadas de leche de soja. Verter en el cazo y remover bien con unas varillas o una cuchara de madera; ir añadiendo poco a poco el resto de la leche de soja, hasta obtener una mezcla homogénea. Volver a poner el cazo en el fuego, y llevar lentamente a hervir mientras se sigue removiendo sin parar y la salsa va espesando. Bajar el fuego al mínimo y seguir cociendo hasta que espese. Salpimentar y añadir una pizca de nuez moscada.

4. Salsa Alfredo

INGREDIENTES

1 CUCHARADA DE MANTEQUILLA

1 ¼ TAZAS DE NATA LIGERA

¾ TAZA DE QUESO PARMESANO

½ CUCHARADA DE SAL

¼ CUCHARADA DE PIMIENTA NEGRA

PREPARACIÓN

Derretir la mantequilla. Echar el resto de los ingredientes y remover bien. Se puede sustituir la nata por la mitad de leche, o un sustituto de nata. Echar la pasta escogida (va muy bien con pasta fresca o espaguetis).

5. Salsa bechamel light

INGREDIENTES

¾ L DE LECHE DESNATADA

3 CUCHARADAS DE ACEITE DE OLIVA

2 CUCHARADAS DE HARINA

NUEZ MOSCADA

SAL Y PIMIENTA

PREPARACIÓN

Se calienta el aceite en una sartén a fuego medio; se añade la harina y se remueve bien para evitar que se formen grumos; se salpimenta y se espolvorea con nuez moscada. Se incorpora la leche desnatada muy lentamente y sin dejar de remover; se deja que cueza a fuego medio unos 10-15 minutos.

6. Salsa de boniato y patata

INGREDIENTES

1 VASITO DE LECHE DESNATADA

200 G DE BONIATO

1 PATATA PEQUEÑA

4 CUCHARADAS DE ACEITE DE OLIVA

1 VASITO DE VINO TINTO

NUEZ MOSCADA

SAL Y PIMIENTA

PREPARACIÓN

Se precalienta el horno y se asa el boniato a 200° C. Se cuece la patata. Se disponen los dos tubérculos una vez hechos en el vaso de la batidora, junto al resto de los ingredientes y se bate hasta que se obtiene una salsa bien ligada.

7. Salsa de manzana

INGREDIENTES

4 MANZANAS GOLDEN

4 CUCHARADAS DE MAYONESA SIN HUEVO

EL ZUMO DE ½ LIMÓN

2 CUCHARADAS DE VINO BLANCO DULCE

SAL

PIMIENTA BLANCA MOLIDA

PREPARACIÓN

Pelar las manzanas, cortarlas en trozos finos y cocerlas con el zumo de limón y el vino, removiendo sin parar con una cuchara de madera durante 10 minutos. A continuación, pasar por el pasapurés y dejar enfriar. Mezclar el puré de manzana con la mayonesa, sazonar con un pellizco de sal y pimienta. Utilizar esta salsa para acompañar carne de cerdo y pollo frío. También se pude servir con carne hecha: cubrir esta carne con la salsa y gratinar 3-4 minutos al horno.

8. Salsa «Meuniere»

INGREDIENTES
100 G DE MANTEQUILLA
EL ZUMO DE 1 LIMÓN
1 CUCHARADA DE PEREJIL PICADO A TIJERA

PREPARACIÓN
Diluir la mantequilla al baño María sin dejarla hervir: retirar la espuma que se forme con la espumadera. Incorporar el zumo de limón colado y calentar sin que llegue a hervir. Añadir por último el perejil fresco muy picado con la tijera y remover.

9. Salsa de yogur

INGREDIENTES
1 YOGUR NATURAL BIO O DE SOJA
1 CUCHARADITA DE PEREJIL
EL ZUMO DE ½ LIMÓN
½ ENVASE DE YOGUR DE ACEITE
1 DIENTE DE AJO
SAL Y PIMIENTA

PREPARACIÓN
Se baten todos los ingredientes en el vaso de la batidora. Se deja enfriar en la nevera 1 hora antes de servir. Si se quiere con otros sabores se añade ajo, hierbas aromáticas, vinagre, salsa picante...

10. Salsa de arriero

INGREDIENTES

QUESO MANCHEGO AÑEJO EN ACEITE SIN HUEVO

1 TROZO DE TOMATE

PIMIENTO MORRÓN

PEPINILLOS PICADOS

AJO

CEBOLLA

PEREJIL

PREPARACIÓN

Machacar en un mortero hasta obtener una masa uniforme y fina una parte del queso manchego en aceite, añejo o muy curado, un diente de ajo pelado, un casco de cebolla y una octava parte del tomate mondado y sin pepitas, otra de pimientos morrones rojos y otra de pepinillos picados. Cuando esté acabada diluir en aceite y vinagre, salar si es necesario. Añadir agua si resulta muy espesa, batir bien y agregar 1 cucharada de perejil picadísimo. Emplear en platos fríos de pescado cocido; también en carnes y aves, asados o en fiambre.

11. Salsa de chocolate negro
Para 20 cl

INGREDIENTES
9 CL DE VINO TINTO

2 CHALOTAS FINAMENTE PICADAS

60 CL DE CALDO DE CARNE FRESCO

25 G DE GRAGEAS O LIMADURAS DE CHOCOLATE NEGRO 8

¡¡¡OJO CON EL CONTENIDO DE FRUTOS SECOS EN EL CHOCOLATE!!!

PREPARACIÓN

Calentar el vino tinto en un cazo con las chalotas picadas y dejar cocer hasta que el vino se reduzca a la mitad. Añadir el caldo de carne y cocer a fuego medio-alto hasta que se reduzca a una tercera parte. Retirar del fuego y pasar por un tamiz fino. Añada las grageas de chocolate y bata hasta que se derritan. Perfecta para acompañar piezas de caza como ciervo asado, perdices, gamo...

12. Salsa de las órdenes militares

INGREDIENTES
Queso manchego

Encurtidos en vinagre

Sal

Pimienta

Tomillo

Orégano

Vino blanco

Coñac o brandy

PREPARACIÓN

En un jugo de carne derretir queso manchego en la proporción de una cuarta parte, sin que hierva. Añadir una quinta parte de encurtidos diferentes, muy picaditos; sazonar con sal, pimienta y una pizca de tomillo y orégano; aromatizarla con un poco de vino blanco, de graduación media, y una pizca de coñac. Servir caliente para acompañar asados de carne o de ave en su jugo.

13. Espuma de leche

INGREDIENTES

ACEITE

1 PUERRO MEDIANO

2 TIRAS DE BACÓN

1 VASITO DE LECHE

1 TAZA DE ARROZ

2 CUCHARADAS DE MANTEQUILLA

PREPARACIÓN

Es apropiada para acompañar pescados azules. Se puede presentar guarnecida con unos tallarines de zanahoria, calabacín y puerro y un crujiente de bacón. Fondear con el aceite el puerro y el bacón; una vez bien fondeado el conjunto eliminar la grasa sobrante y añadir la leche (calentada previamente) y el arroz; dejar que cueza el conjunto hasta que el arroz esté pasado. Cuando ya esté pasado, triturar en batidora y pasar por un chino fino. Una vez pasada la salsa, se pone otra vez a hervir. Antes de servir añadir unas bolas de mantequilla, y en batidora de brazo emulsionar el conjunto, haciéndolo con la punta de la batidora un poco fuera de la salsa para que empiece a formar «ojos». Una vez formados estos ojos, se puede servir la salsa.

14. Salsa de mojo picón

INGREDIENTES
1 CABEZA DE AJO
20 CUCHARADAS DE ACEITE
3 CUCHARADAS DE VINAGRE
1 CUCHARADA DE PIMENTÓN
PIMIENTA BLANCA EN GRANO
COMINO
SAL GORDA

PREPARACIÓN

Hacer un majado en un mortero con los ajos, el comino, la pimienta limpia de granillas y sal gorda. Después se añade el pimentón y lentamente se añade el aceite y el vinagre. Formar una pasta ligera o espesa, al gusto. Conservar en un lugar fresco o en la nevera. Este mojo acompaña muy bien a asados de carne.

15. Salsa boloñesa

INGREDIENTES

500 G DE CARNE PICADA DE TERNERA

1 HOJA DE LAUREL

100 G DE CEBOLLA

100 G DE ZANAHORIA

10 CL DE ACEITE DE OLIVA

25 CL DE VINO TINTO

25 CL DE SALSA DE TOMATE

SAL Y PIMIENTA

PREPARACIÓN

Cortar la cebolla y la zanahoria muy finamente, rehogar con el aceite y una hoja de laurel. Cuando esté listo, dejar que se enfríe un poco y añadir la carne. Salpimentar y rehogar hasta que la carne esté medio hecha. Añadir entonces el vino, reducir a la mitad, agregar el tomate y dejar cocer unos minutos.

16. Salsa carbonara

INGREDIENTES
1 PACK DE JAMÓN SERRANO EN TROCITOS
½ CEBOLLA
1 BRICK DE NATA LÍQUIDA
2 TRANCHETES
PIMIENTA NEGRA

PREPARACIÓN

Se trocea la cebolla y se dora con poco aceite. Se le añaden los trozos de jamón serrano (se pueden trocear un poco más) hasta que queden hechos. Añadimos la nata líquida y lo dejamos durante unos minutos para que coja cuerpo. Espolvoreamos la pimienta negra y añadimos los 2 tranchetes, removiendo todo bien. Si quedara muy espesa (sobre todo cuando ha pasado un tiempo) se le añadirá un chorrito de leche.

17. Salsa clásica de patatas bravas

INGREDIENTES
1 CEBOLLA

1 DIENTE DE AJO

1 VASO DE TOMATE NATURAL

1 PIZCA DE AZAFRÁN

1 CUCHARADITA DE AZÚCAR

1 PIZCA DE PIMIENTA DE CAYENA

1 PUNTA DE JAMÓN

1 CUCHARADITA DE PIMENTÓN PICANTE

1 CUCHARADITA DE COLORANTE

1 CUCHARADA SOPERA DE HARINA

1 CHORRO DE VINAGRE DE JEREZ

ACEITE DE OLIVA

SAL

PREPARACIÓN

Picar muy fina la cebolla y el diente de ajo y rehogar en el aceite a fuego lento junto con la punta de jamón y la pimienta de cayena. Cuando la cebolla esté transparente añadir el pimentón picante (fuera del fuego para que no se queme) y las hebras de azafrán; dar unas vueltas, añadir el tomate triturado, sazonar junto con la cucharadita de azúcar y dejar cocer removiendo durante 5 minutos. Incorporar la harina diluida en agua, mezclar bien, cubrir con agua, añadir el colorante y dejar cocer durante 15 minutos más. Al final de la cocción echar el chorrito de vinagre, mezclar bien, sacar la punta de jamón, pasar por la batidora, colar en el chino, corregir de sal y ya está lista. Las patatas deben ser de primera calidad; se cuecen durante 5 minutos enteras con piel; se dejan enfriar, se pelan, se cortan en trozos y por último se fríen en aceite de oliva bien caliente.

18. Salsa al pesto sin piñones

INGREDIENTES
20 G DE PEREJIL
40 G DE ALBAHACA FRESCA
1 DIENTE DE AJO
20 G DE QUESO PARMESANO
20 G DE HARINA
10 CL DE ACEITE DE OLIVA
SAL AL GUSTO

PREPARACIÓN
Mezclar primero la harina con el aceite hasta emulsionar; añadir luego los demás ingredientes en un mortero y triturar hasta conseguir un puré.

19. Guacamole

INGREDIENTES
3 AGUACATES MADUROS
1 TOMATE MADURO MEDIANO
½ LIMÓN
¼ CEBOLLA
SAL

PREPARACIÓN
Se pelan y trocean los aguacates en un bol. Se añade el tomate y la cebolla troceados, el zumo del limón y la sal. Se bate hasta obtener una textura cremosa. Se sirve junto a nachos de maíz... o pan, tostadas, etc.

20. Tempura para rebozo sin huevo

Aunque no sea propiamente una salsa, la incluimos aquí, ya que es utilísimo conocer su preparación.

INGREDIENTES
HARINA DE MAÍZ
HARINA DE TRIGO
CERVEZA O AGUA CON GAS O SODA, A ELECCIÓN

PREPARACIÓN

Tamizar y mezclar las dos harinas en un bol suficientemente grande y añadir el líquido elegido muy frío. Mezclar de nuevo con una varilla hasta conseguir una papilla suficientemente consistente y sin grumos.

21. Harina de garbanzos

Lo mismo que la receta anterior, la incluimos aquí por su interés para la preparación de otras muchas recetas exentas de gluten y por su utilidad para rebozos y pastelería. La harina de garbanzos se puede adquirir en tiendas de dietética, de alimentos orientales o en comercios especializados, pero su coste es alto. Otra forma de obtenerla de manera artesanal pero segura es cociendo garbanzos en agua sin sal, dejándolos luego enfriar. Una vez fríos, se pelan y se pasan por la batidora. El resultado es una mezcla entre puré y harina apta para su uso inmediato.

Por último, se puede obtener también harina integral de garbanzos triturándolos en máquinas domésticas, como algunos modelos de molinillos de café, robots de cocina o batidoras de vaso potentes, hasta conseguir la consistencia deseada sin necesidad de pelar ni tostar previamente. Como opción se puede hacer pasar la mezcla final por un colador más o menos fino.

22. Crema base para patés

PREPARACIÓN

Mezclar bien el requesón y la nata líquida con un tenedor o con la batidora. Posteriormente se puede añadir cualquier ingrediente en cantidad al gusto: pimiento, setas, olivas negras...

23. Crema de aceitunas

PREPARACIÓN

Deshuesar las aceitunas y triturarlas con la batidora junto con el tomillo y el romero hasta obtener una pasta cremosa, de aspecto semejante al caviar. Se puede añadir pan rallado para modificar la consistencia y suavizar el sabor.

24. Salsa chimichurri a mi gusto

INGREDIENTES

1 CABEZA DE AJOS PICADOS FINO

½ TAZA DE PEREJIL PICADO FINO

½ CUCHARADA DE PIMENTÓN PICANTE MOLIDO

1 CUCHARADA DE ORÉGANO

½ CUCHARADA DE TOMILLO

½ CUCHARADA DE PIMIENTA BLANCA EN GRANO

1 PIMIENTO MORRÓN ROJO PEQUEÑO BIEN PICADO

1 TOMATE MADURO Y FIRME RALLADO

1 CEBOLLA COLORADA PEQUEÑA RALLADA

2 HOJAS DE LAUREL

UNAS HOJITAS DE ROMERO

1 TAZA DE ACEITE

½ TAZA DE VINAGRE DE VINO BLANCO

SAL AL GUSTO

PREPARACIÓN

Mezclar en un tazón los ajos picados, el perejil picado, el pimentón picante molido, el orégano, el tomillo, la pimienta blanca, el pimiento morrón picado, el tomate rallado y la cebolla rallada. Agregar las hojas enteras de laurel y las hojitas de romero. Agregar el aceite y vinagre y mezclar bien. Condimentar con sal al gusto. Guardar en frascos de vidrio, cerrar bien y agitarlo para que se mezclen los sabores. Mantener el chimichurri en la nevera e ir usándolo a medida que se necesite, siempre cerrándolo bien. Se mantiene en perfecto estado durante varios días.

25. Vinagreta

INGREDIENTES
1 CUCHARADA DE MOSTAZA
7 CUCHARADAS DE ACEITE
4 CUCHARADAS DE VINAGRE
2 PEPINILLOS PEQUEÑOS
2 CUCHARADAS DE PEREJIL PICADO
SAL Y PIMIENTA AL GUSTO

PREPARACIÓN
Picar y mezclar todos los ingredientes de la salsa y utilizar. Si se quiere se le puede agregar pimiento morrón y cebolla bien picados.

26. Crema de chufa

INGREDIENTES
200 G DE CHUFAS
AGUA
AZÚCAR O MIEL O MANZANAS

PREPARACIÓN
Se prepara una leche de chufa espesita con 200 g de chufa buena por cada ½ l de agua. La chufa habrá estado a remojo toda la noche con agua, y se habrá lavado antes en varias aguas para librarla bien de la tierra. Se muele bien con la batidora, conjuntamente con el agua, una o dos veces, si no cabe toda junta, y se cuela finalmente. Se endulza a voluntad, con miel, azúcar o concentrado de manzana, se pone el cazo al fuego y se menea bien con espátula para que no se pegue y queme en el fondo, y así hasta que hierva. Cuando esté espesa, queda una crema especial, con gusto muy fino. Si se endulza con sirope es compatible con toda comida cocinada y si se endulza con miel o azúcar, es sólo para comidas de fruta y pan o merienda.

CAPÍTULO 5

Postres

1. Bizcocho sin huevo ni leche

INGREDIENTES

500 G DE HARINA YOLANDA

300 G DE AZÚCAR

50 CL DE LECHE DE SOJA

1 TACITA DE ACEITE DE OLIVA

1 SOBRE DE LEVADURA

250 G DE MARGARINA VEGETAL

LA RALLADURA DE UNA NARANJA

PREPARACIÓN

Cernir la harina y mezclar con los demás ingredientes en un bol hasta obtener una masa ligera. Depositar en un molde engrasado con margarina vegetal. Introducir en un horno precalentado a 180° durante aproximadamente 45 minutos. Para saber cuándo está cocido, se mete un cuchillo que tiene que salir limpio. Sacar del horno y dejar enfriar en el molde a temperatura ambiente. Desmoldar. Se puede cubrir con compota o mermelada.

2. Otro bizcocho sin leche ni huevo

INGREDIENTES

1 ½ VASO DE HARINA

½ VASO DE AZÚCAR

½ VASO DE AGUA

¼ KG DE MARGARINA VEGETAL

2 CUCHARADAS DE ACEITE

1 CUCHARADA DE LEVADURA

½ CUCHARADITA DE SAL

VAINILLA

PIEL DE LIMÓN

PREPARACIÓN

Cernir en un bol la harina y mezclar con el azúcar y la sal. Añadir el agua, la margarina líquida, la vainilla y la piel de limón. Batir el aceite con 2 cucharadas de agua y la levadura, añadirlo a la mezcla anterior y remover. Depositar en un molde engrasado. Introducir en un horno precalentado a 200° durante 15-30 minutos. Para saber cuándo está cocido, se mete un cuchillo que tiene que salir limpio. Sacar del horno y dejar enfriar en el mismo molde a temperatura ambiente. Desmoldar. Se puede cubrir con compota o mermelada.

3. Pastel de manzanas reinetas sin huevo, sin harina de trigo, sin leche

INGREDIENTES

1 KG DE MANZANAS REINETAS

AZÚCAR MORENA

AZÚCAR GLAS

ACEITE DE OLIVA

AGUA

PREPARACIÓN

Pelar las manzanas descorazonadas y cortar en cuadraditos. Poner en un recipiente con ½ vaso de agua. Cocinar durante 45 minutos hasta obtener una compota. Dejar escurrir en un colador hasta que se enfríe completamente. Pesar este puré de manzanas y agregar el mismo peso en azúcar morena. Colocar nuevamente en una cacerola a fuego muy lento durante 1 hora, hasta que el puré tome un color dorado. Untar con aceite un molde cuadrado. Verter la masa en el molde de forma uniforme con un grosor de aproximadamente 1 cm. Dejar reposar en la nevera hasta el día siguiente. Sacar del molde, cortar en pequeñas porciones y cubrir con azúcar glas. Degustar al día siguiente.

4. Tarta de chocolate sin leche ni mantequilla ni huevos

INGREDIENTES

PARA EL BIZCOCHO:

200 G DE AZÚCAR

300 G DE HARINA YOLANDA

200 G DE COLA CAO

150 G DE MANTEQUILLA O ACEITE DE OLIVA

1 VASO DE LECHE DE SOJA

1 PAQUETE DE LEVADURA GASIFICANTE

PARA LA CREMA RÁPIDA DE CHOCOLATE:

500 G DE LECHE DE SOJA

1 CUCHARADITA DE AZÚCAR

30 G DE MAICENA

70 G DE AZÚCAR

2 CUCHARADAS DE CACAO EN POLVO PURO

1 YOGUR NATURAL

¡¡¡CUIDADO CON EL CHOCOLATE, QUE NO LLEVE TRAZAS DE FRUTOS SECOS!!!

PARA LA COBERTURA DE CHOCOLATE:

200 G AZÚCAR

175 G AGUA

200 G CHOCOLATE DE COBERTURA SIN FRUTOS SECOS

PREPARACIÓN

Para el bizcocho: mezclar todos los ingredientes con la batidora de vaso, hornear durante 45 minutos a 170°. La mezcla es muy líquida y hay que usar un molde alto porque sube mucho.

Para la crema de chocolate: poner en el vaso de la batidora la leche, el yogur, la maicena y el azúcar; mezclar un poco, calentar hasta casi hervir y volver a mezclar. A continuación agregar el cacao y mezclar unos 2½ minutos más para que quede todo bien integrado.

Montar la tarta: cuando el bizcocho esté frío, dividir en dos y empapar con bebida de soja con cacao; cubrir una de las partes con la crema de chocolate. Poner el otro bizcocho encima. Cubrir la tarta con la cobertura.

Para la cobertura de chocolate: hervir el azúcar con el agua hasta que llegue a 110° C. Retirar del fuego y añadir la cobertura troceada, remover hasta que se funda y quede bien cremoso. Colar y dejar enfriar. Cuando la vayamos a utilizar, calentar a 40-50°. Retirar y decorar con frutas o al gusto.

5. Hornazo

INGREDIENTES

1 ½ KG DE HARINA DE TRIGO

50 G DE LEVADURA DE PANADERÍA

¼ L DE ACEITE DE GIRASOL

¼ KG DE AZÚCAR

1 ½ KG DE NARANJAS

2 CUCHARADAS DE ANISES

15 G DE LEVADURA DE REPOSTERÍA

HARINA DE TRIGO (PARA AMASAR)

AZÚCAR (PARA CUBRIR)

PREPARACIÓN

Cernir en un bol grande la harina, hacer un hueco en el centro, poner la levadura de panadería y verter 200 ml de agua. Dejar reposar 15 minutos. Amasar y dar forma de bola y dejar reposar 1 hora. Precalentar el horno a 200° C. Agregar el aceite y amasar bien. Machacar los anises, rallar la piel de las naranjas y exprimirlas. Agregar el zumo de naranja y más harina si fuera necesario. Incorporar los anises, la ralladura de naranja, el azúcar y la levadura de repostería y amasar con fuerza. Si es necesario, añadir más harina. Ha de quedar una masa firme y elástica. Dividir la masa en 5 partes. Formar bolas con ellas y aplastarlas para darles forma de torta. Con la quinta porción hacer tiras decorativas para las otras 4. Mojar con agua la superficie de los hornazos y después espolvorear azúcar por encima. Meter al horno a 200° C durante 25-30 minutos o hasta que estén dorados y hechos. Al sacarlos volver a mojarlos y cubrirlos de azúcar. Servir frío.

6. Torrijas sin huevos ni lácteos

INGREDIENTES

1 BARRA DE PAN DEL DÍA ANTERIOR

¾ L DE LECHE DE SOJA

LA CÁSCARA DE ½ LIMÓN

1 RAMITA DE CANELA

6 CUCHARADAS DE AZÚCAR

6 CUCHARADAS DE HARINA DE GARBANZO

½ CUCHARADITA DE VINAGRE

ACEITE DE GIRASOL PARA FREÍR

AZÚCAR

CANELA EN POLVO

PREPARACIÓN

Cocer la leche de soja con la cáscara de limón, la canela y el azúcar. Cortar el pan, en rodajas gruesas, en diagonal. Cuando hierva, retirar la leche de soja y quitar el limón y la canela. Remojar el pan durante 5 minutos en la leche de soja. Diluir la harina de soja en agua con el vinagre hasta que quede espeso pero muy suave. Pasar las torrijas por la mezcla de harina de garbanzo y freír en abundante aceite caliente unos 20 segundos por cada lado. Sacar y dejar reposar en papel de cocina absorbente. Espolvorear con azúcar y canela en polvo y dejar enfriar.

VARIANTES

Si no se tiene harina de garbanzo se puede usar harina de soja, harina «Yolanda» para cocinar sin huevos, «Rebocina» o cualquier otra harina para cocinar sin huevos. En estos casos no se debe agregar el vinagre, puesto que es para eliminar el sabor a garbanzo.

7. Bizcocho de mármol

INGREDIENTES

350 G DE HARINA DE TRIGO

50 G DE MAICENA

15 G DE LEVADURA DE REPOSTERÍA (UNAS 3 CUCHARADITAS)

1 CUCHARADITA DE LEVADURA DE PANADERÍA

10 CUCHARADAS DE AZÚCAR

½ VASO DE ACEITE DE GIRASOL

2 VASOS DE AGUA

LA RALLADURA DE ½ LIMÓN

4 CUCHARADAS GRANDES DE CACAO EN POLVO (NO CHOCOLATE A LA TAZA)

MARGARINA PARA UNTAR EL MOLDE

PREPARACIÓN

Precalentar el horno a 200º C. Cernir la harina y mezclar todos los ingredientes excepto el cacao y la margarina. Si es necesario, añadir más agua o un poco de leche de soja. Dejar reposar la masa ½ hora. Untar el molde con la margarina y verter las ¾ partes de la masa. En el otro cuarto agregar el cacao en polvo, un poco más de agua y batir; tiene que quedar algo más ligero que la masa anterior. Verter por encima de la masa formando dibujos y dejar reposar 10 minutos. Cocinar en el horno de 30 a 35 minutos o hasta que se dore (sin quemarse). Sacar y dejar enfriar.

SUGERENCIA DE PRESENTACIÓN

Hacemos una cobertura de chocolate derritiendo ½ tableta de chocolate negro sin frutos secos, con ½ vaso de leche de soja y 1 cucharada de margarina, pero se pueden hacer otras coberturas con mermelada, azúcar, etc.

VARIANTES

En lugar de limón se puede usar ralladura de naranja o de lima, y en lugar de cacao en polvo se pueden poner otros sabores, como masa con fresas batidas, melocotón, piña, pera, canela, membrillo...

8. Bizcocho de piña

INGREDIENTES
350 G DE HARINA DE TRIGO

50 G DE MAICENA

15 G DE LEVADURA (UNAS 3 CUCHARADITAS)

8 CUCHARADAS DE AZÚCAR

½ VASO DE ACEITE DE GIRASOL

2 VASOS DE AGUA

3 RODAJAS DE PIÑA

MARGARINA PARA UNTAR EL MOLDE

1 PAR DE CUCHARADAS DE ZUMO DE LIMÓN

PREPARACIÓN

Precalentar el horno a 200° C. En un bol mezclar bien el azúcar con el agua. Batir junto con las rodajas de piña e ir agregando la harina de trigo, la maicena, la levadura y el aceite de girasol. Untar ligeramente con margarina el molde para tartas (para que no se pegue) y meter al horno a 180° C durante 35 minutos. Vigilar de vez en cuando, y si se tuesta demasiado por arriba, poner calor sólo por la parte inferior del horno. Sacar y dejar enfriar.

9. Donuts

INGREDIENTES
200 G DE HARINA DE TRIGO
75 G DE MAICENA
½ VASO DE LECHE DE SOJA
1 CUCHARADITA PEQUEÑA DE LEVADURA
1 CUCHARADITA DE VAINILLA
1 CUCHARADITA DE RALLADURA DE PIEL DE LIMÓN
4 CUCHARADAS DE AZÚCAR
ABUNDANTE ACEITE DE GIRASOL PARA FREÍR

PREPARACIÓN
Poner en un recipiente todos los ingredientes (excepto el aceite), batir con la batidora e ir agregando agua tibia hasta que quede una masa suave y cremosa. Poner a calentar abundante aceite en una sartén honda. Meter la masa en una rosquillera y ponerla en el aceite muy caliente. No freír demasiadas a la vez, pues doblan su tamaño en el aceite. Dorar por ambos lados y sacar a un plato o recipiente con papel absorbente de cocina. Decorar al gusto.

VARIANTES
Se le puede añadir 1 cucharadita de agua de azahar a la masa, así como anís, zumo de lima, canela, etc.

SUGERENCIA DE PRESENTACIÓN
A unos donuts les hemos espolvoreado azúcar glas por encima, a otros cacao en polvo y a otros bolitas de colores. Se puede hacer una buena cobertura mezclando azúcar glas con agua y ½ cucharadita de margarina, o con canela, bolitas de anís, fideos de chocolate, caramelo, mermelada, siropes... También se pueden rellenar con nata montada de soja.

Truco: si no tienes rosquillera (valen unos 5 euros) puedes hacerlo con una manga pastelera.

10. Otro bizcocho (sin leche ni huevo)

INGREDIENTES

6 CUCHARADAS DE ACEITE DE GIRASOL

6 CUCHARADAS DE AZÚCAR

CÁSCARA RALLADA DE 1 LIMÓN

1 ½ VASOS DE ZUMO DE MANZANA (O LECHE SI NO ES ALÉRGICO)

1 ½ VASOS DE HARINA

1 SOBRE DE LEVADURA

PREPARACIÓN

Precalentar el horno a 180º C. Mezclar bien el aceite con el azúcar y la cáscara de limón, incorporar la leche o el zumo y por último la harina tamizada junto con la levadura. Engrasar un molde para horno y espolvorear con harina. Verter en él la mezcla e introducirlo en el horno. Tardará una ½ hora en hacerse. Después de este tiempo, abrir el horno y pinchar el bizcocho con una aguja de punto o un cuchillo; si sale limpia, estará listo; si no, debe permanecer en él unos minutos más. Si se quiere hacer una tarta de chocolate, simplemente se añade cacao en polvo a la mezcla.

11. Galletas dulces (sin leche ni huevo)

INGREDIENTES

100 G DE MARGARINA VEGETAL

250 G DE HARINA

50 G DE AZÚCAR

3 CUCHARADAS SOPERAS DE AGUA

RALLADURA DE 1 NARANJA

PREPARACIÓN

Se mezclan todos los ingredientes en un recipiente y se amasa hasta que se despegue de los lados. Se forma una bola y se deja reposar unos 15 minutos. Por último se forman las galletas y se hornean a 200º unos 15 minutos.

12. Focaccia

Para 6 porciones

INGREDIENTES

200 G DE HARINA TIPO 0 o 00

100 G DE AGUA

1 PELLIZCO DE SAL

1 PELLIZCO DE AZÚCAR

1 DADO DE LEVADURA DE CERVEZA (20 G)

PREPARACIÓN

En un recipiente grande disolver la levadura de cerveza en el agua; añadir la harina, la sal y el azúcar, y mezclarlo finamente hasta obtener una pasta homogénea. Dejar reposar cubierto con un paño durante 30 minutos a temperatura ambiente. Después, extender muy bien la pasta con el rulo. Colocar la masa sobre una bandeja de horno untada de aceite, hacer algunos agujeros con la mano, salar la superficie y verter 2 o 3 cucharadas de aceite de oliva extra virgen por encima. A continuación, dejar reposar durante 30 minutos y después meter en el horno a 200° C, unos 20 minutos.

13. Mousse de plátano

INGREDIENTES

1 PLÁTANO MADURO

50 G DE QUESO FRESCO

1 CUCHARADA SOPERA DE LECHE DE SOJA O DE VACA

RASPADURA DE ½ LIMÓN

PREPARACIÓN

Con un tenedor se mezclan los ingredientes, hasta conseguir una pasta homogénea; si quedara muy espeso se puede añadir leche o zumo de limón.

14. Compota de manzana con pasas

INGREDIENTES

2 MANZANAS

15 G DE PASAS

3 CUCHARADAS DE ZUMO DE NARANJA RECIÉN EXPRIMIDA

PREPARACIÓN

Poner al fuego en un cazo el zumo de naranja, al que se añadirán las manzanas peladas y troceadas y las pasas previamente lavadas. A fuego muy lento se dejan ablandar y si es necesario se añade un poco de agua. Pasar por el pasapurés.

15. Manzanas a la canela

INGREDIENTES

1 PAR DE MANZANAS

ZUMO DE MANZANA

1 RAMITA DE CANELA

PREPARACIÓN

Trocear las manzanas y cocerlas en zumo de manzana al que habremos añadido una ramita de canela, unos 10 minutos a fuego normal. Pasado ese tiempo, y una vez retirada la ramita de canela, se tritura, se deja enfriar y después se introduce en bolsas de cubitos para congelar. Salen unas cinco raciones.

16. Batido de frutas

INGREDIENTES

1 VASO DE LECHE DE CONTINUACIÓN O DE SOJA O DE VACA

30 G DE MANZANA

30 G DE PLÁTANO

30 G DE PERA

1 CUCHARADITA DE AZÚCAR

PREPARACIÓN

Verter la leche tibia en el vaso de la batidora. Lavar, pelar y trocear la fruta, mezclarla con el azúcar y añadirla a la leche.

17. Crema de pera y yogur

INGREDIENTES

50 G DE PERA

ZUMO DE NARANJA RECIÉN EXPRIMIDO

1 YOGUR

PREPARACIÓN

Poner las peras y el zumo de naranja en un recipiente, batirlas y colocarlas en un cuenco. Mezclar el puré con el yogur. Servir enseguida o tapar y enfriar antes de servir.

18. Compota de manzana y galletas

INGREDIENTES
4 GALLETAS SIN HUEVO
ZUMO DE NARANJA O LIMÓN
50 G DE MANZANA RALLADA

PREPARACIÓN

Colocar en un bol las galletas y bañarlas con el zumo de naranja o limón azucarado. Encima de ellas, colocar la manzana rallada o el tarrito de fruta.

19. Manzanas asadas con naranja y canela

INGREDIENTES
4 MANZANAS GOLDEN
2 CUCHARADAS DE MIEL CLARA O AZÚCAR
1 CUCHARADA DE MANTEQUILLA O ACEITE
½ VASO DE ZUMO DE NARANJA
1 PIZCA DE CANELA

PREPARACIÓN

Para asar las manzanas, primero precalentar el horno a 180º. Retirar con un cuchillo el rabillo de las frutas y todas las semillas. En el hueco que habrá quedado, ponemos la miel o el azúcar y la canela, y encima una bola de mantequilla o un chorrito de aceite de semillas. Colocar las manzanas en una fuente para el horno y regarlas con el zumo de naranja. Por último, hornear unos 45 minutos. También se pueden hacer en microondas. Rodea la manzana con una macedonia de frutas casera.

20. Magdalenas de chocolate, o lo que sea

INGREDIENTES
200 G DE AZÚCAR

1 ½ VASOS DE LECHE

½ VASO DE ACEITE

½ SOBRE DE LEVADURA ROYAL

250 G DE HARINA DE TRIGO

100 G DE HARINA DE MAÍZ

200 G DE CHOCOLATE NEGRO (SIN LECHE NI FRUTOS SECOS)

MOLDES DE PAPEL RIZADO

PREPARACIÓN

Batir el azúcar con la leche, mezclar, incorporar el aceite, seguir mezclando... Mezclar la levadura con la harina y cernirla sobre la mezcla; se sigue mezclando y se añade por último el chocolate en trocitos pequeños. Se llenan los moldes pero que les falte como 1 cm; se le pone un puñado de azúcar (o de los tropiezos que se vayan a poner) en medio y se mete al horno a 180° C unos 25 minutos.

21. Flan sin huevo

INGREDIENTES

½ L DE LECHE

1 SOBRE DE GELATINA SIN SABOR

4 CUCHARADAS DE CACAO O

1 CUCHARADITA DE ESENCIA DE VAINILLA

2 CUCHARADAS DE AZÚCAR

250 G DE NATA SIN HUEVO O DULCE DE LECHE

PREPARACIÓN

Disolver la gelatina con 10 cl de leche, luego calentar los 40 cl restantes hasta que rompa en hervor, apagar el fuego y agregar el azúcar junto con el cacao, remover hasta integrar. Unir ahora la preparación de gelatina con la leche chocolatada, mezclar bien hasta disolver todo grumo de gelatina. Colocar el flan en moldecitos y llevar a la nevera hasta que se solidifiquen. Para desmoldar sumergir el molde en agua caliente, volcar el flan en un platito y decorar con crema o dulce de leche.

22. Otra receta de bizcocho sin huevo

INGREDIENTES
500 G DE HARINA

100 G DE CACAO EN POLVO

1 SOBRE DE LEVADURA EN POLVO

RALLADURA DE LA CÁSCARA DE 1 LIMÓN

30 CL DE LECHE O ZUMO DE MANZANA

100 G DE AZÚCAR

75 G ACEITE

PREPARACIÓN
Antes de comenzar con el bizcocho poner a calentar el horno a 200° para que esté a la temperatura justa. Batir el aceite con el azúcar hasta homogeneizar, añadir la ralladura de limón y volver a mezclar. Aparte pasar por un cedazo la harina, la levadura y el cacao, y luego incorporarlos a la preparación anterior. Mezclar bien con una varilla durante 5 minutos al menos. Lubricar y enharinar un molde de horno y colocar la masa, bajar la temperatura a 180° y ubicar el molde más arriba de la mitad del horno; cocinar así durante ½ hora. Una vez pasado este lapso, abrir el horno y comprobar si el bizcocho está listo pinchando el centro con un cuchillo, si sale limpio se puede retirar. Una vez frío cubrir el postre con cobertura de chocolate sin frutos secos y espolvorear con azúcar glas.

23. Arroz con leche, pero sin leche

INGREDIENTES

1 L DE BATIDO DE AVENA DE ARROZ O DE SOJA

150 G DE ARROZ

90 G DE AZÚCAR GLAS

TIRAS DE CÁSCARA DE 1 LIMÓN (SÓLO LO AMARILLO)

TIRAS DE CÁSCARA DE 1 NARANJA (SÓLO LO NARANJA)

1 PALITO DE CANELA

1 PIZCA DE SAL

PREPARACIÓN

Se mezclan todos los ingredientes y se lleva a ebullición; se mantiene hirviendo 15 minutos aproximadamente removiendo de vez en cuando. Se deja reposar otros 15 minutos y se enfría para servir.

24. Turrón de chocolate

INGREDIENTES

200 G DE CHOCOLATE PURO SIN LECHE NI FRUTOS SECOS

150 G DE MARGARINA

6 CUCHARADAS DE AZÚCAR

100 G DE GALLETAS TIPO DIGESTIVE O SIMILAR (CRISPIES DE ARROZ DE KELLOGS POR EJEMPLO)

PREPARACIÓN

Derretir el chocolate partido en trozos al baño María en un cazo con 5 cucharadas de agua caliente. Mezclar la margarina con el azúcar y trabajar hasta que esté cremosa; a esa mezcla añadir el chocolate fundido y unirlo a la margarina. Triturar las galletas y mezclar. Agregarlo a la mezcla de chocolate y margarina. Forrar un molde de *cake* con papel vegetal, haciéndole sobresalir por los bordes; echar la mezcla en el molde, tapar con un papel de aluminio, meter en la nevera y dejarlo reposar un día.

25. Crema «pastelera» de tofu para postres

INGREDIENTES

1 TAZA DE LECHE DE SOJA

½ TAZA DE TOFU

3 CUCHARADAS DE MIEL

PREPARACIÓN

Triturar el tofu con la batidora, añadir la leche de soja y la miel y batir hasta que quede fino y homogéneo.

Nota: el tofú o queso de soja es un alimento hecho a base de leche de soja que puede elaborarse en casa o comprarse ya elaborado; tiene unas grandísimas propiedades sustitutivas de la leche y de otros nutrientes para alérgicos. Puede adquirirse en tiendas de dietética y herbolarios, y mucho más barato en supermercados chinos.

26. Otra receta de magdalenas

INGREDIENTES

1 ½ TAZAS DE HARINA

½ TAZA DE AZÚCAR

1 ½ CUCHARADITAS DE LEVADURA

¼ CUCHARADITA DE SAL

½ TAZA DE AGUA

¼ TAZA DE MARGARINA 100% VEGETAL DERRETIDA

1 ½ CUCHARADAS DE ACEITE

1 ½ CUCHARADAS DE AGUA

1 CUCHARADITA DE LEVADURA

1 VAINA DE VAINILLA

RASPADURAS DE CÁSCARA DE 1 LIMÓN

PREPARACIÓN

Precalentar el horno fuerte y engrasar papelillos de magdalenas. En un bol grande mezclar la harina, el azúcar, la levadura y la sal; añadir el agua, la margarina derretida, la vainilla y la cáscara de limón, por último añadir la mezcla de aceite, agua y levadura. Mezclarlo todo completamente. Verter sobre los papelillos preparados. Cocinar unos 12 minutos.

27. Helado sin huevo

INGREDIENTES
30 CL DE AGUA
½ KG DE AZÚCAR
1 KG DE FRUTA TRITURADA

PREPARACIÓN
Cada uno puede elegir el sabor que mas le guste; en cuestión de fruta, lo importante es que no tenga demasiada agua. Se puede elegir manzana, plátano, etc., chocolate rallado (sin trazas...). Poner a cocer el agua con el azúcar hasta que tome la consistencia de un almíbar, unos 15 minutos. Cuando el almíbar haya enfriado, se mezcla bien con el sabor elegido (manzana, fresas, chocolate...) y se mete en el congelador. ¿Fácil verdad? Otra receta para hacer helado (en este caso de chocolate, pero también se puede hacer con cualquier fruta) consiste en mezclar nata liquida con azúcar y chocolate al gusto y mezclarlo usando la batidora, como cuando se hace la nata normal. Este preparado se congela y se obtiene un helado de máxima calidad.

28. Tiras de mermelada

INGREDIENTES

1 ¼ TAZAS DE HARINA TAMIZADA

¾ TAZA DE AZÚCAR MORENO

125 G DE MANTEQUILLA/MARGARINA

¾ TAZA DE MERMELADA DE MELOCOTÓN O ALBARICOQUE

PREPARACIÓN

Mezclar la harina tamizada y el azúcar en un bol. Frotar los ingredientes con los dedos, junto con la mantequilla, hasta que la masa parezca migas de pan. Extender la mitad en un molde cuadrado de 20 cm. Esparcir la mermelada por encima con cuidado, espolvorear con la mezcla de harina reservada y presionarla ligeramente. Hornearla a 180° C de 35 a 40 minutos o hasta que empiece a dorarse. Dejarla enfriar en el molde y cortarla en tiras. Guardarlas en un recipiente hermético.

29. Dulce de naranja

INGREDIENTES

2 KG DE NARANJAS

2 KG DE AZÚCAR

1 CUCHARA DE VAINILLA

PREPARACIÓN

Lavar las naranjas, cortarlas en finas rodajas, extraer parte del jugo, colocarlas en una fuente y dejarlas un día cubiertas de agua. Hervirlas al día siguiente, escurrirlas y colocarlas en una cacerola con el azúcar y la vainilla. Cubrir con agua y cocinar a fuego lento.

30. Tarta de calabaza y canela

INGREDIENTES

400 G DE HARINA DE TRIGO

700 G DE CALABAZA

1 MANZANA REINETA

80 G DE PASAS

1 NARANJA

120 G DE AZÚCAR EN POLVO

20 CL DE CREMA FRESCA O NATA DE SOJA

40 G DE MANTEQUILLA

300 G DE HARINA YOLANDA

1 PIZCA DE CANELA

1 SOBRE DE AZÚCAR DE VAINILLA

1 SOBRE DE LEVADURA

PREPARACIÓN

Cernir las harinas sobre la encimera o la mesa, hacer un hoyo en forma de volcán y verter en el centro 5 dl de agua y una pizca de sal; añadir la levadura y amasar durante 10 minutos; hacer una bola y reservar envuelto en un paño durante al menos 1 hora en la nevera. Pelar la calabaza y quitarle las pepitas. Cortar la carne en daditos. Pelar y cortar en dados la manzana. Quitar la piel de la naranja y rallarla. Poner a hervir agua en una cacerola, añadir las pasas y dejarlas unos 30 segundos. Colarlas. Hacer un zumo con la naranja y colocar las pasas dentro. Dejar marinar. Fundir la mantequilla en una cacerola. Añadir los dados de la calabaza y de la manzana. Apagar la cocción cuando la carne de la calabaza se haya deshecho. Añadir las pasas, el azúcar en polvo, el azúcar de vainilla y la canela. Mezclar y mantener aparte. Precalentar el horno a 210° C sobre una lámina de harina. Extender la masa en un molde antiadhesivo. Cubrirlo con papel sulfurizado y con judías blancas. Meterlo en el horno 10 minutos. Cuando la pasta se haya hecho, sacarla del horno, destaparla, retirar las judías y adornarla con el preparado. Meterla nuevamente en el horno durante 30 minutos. Servirla tibia con una bola de helado de vainilla.

31. Tarta de manzana sin huevo

INGREDIENTES

PARA LA MASA:

200 G DE HARINA

100 G DE MANTEQUILLA

1 CUCHARADA LEVADURA

AGUA

PARA LOS GRUMOS:

80 G DE MANTEQUILLA

80 G DE HARINA

80 G DE AZÚCAR

½ CUCHARADITA DE CANELA

PARA EL RELLENO:

4 MANZANAS

ZUMO DE 1 LIMÓN

3 CUCHARADAS DE AZÚCAR

PREPARACIÓN

Mezclar la mantequilla, la harina, el polvo de hornear y el agua; amasar hasta conseguir un bollo suave. Una vez listo, estirarlo y forrar una tartera lubricada y enharinada, dejando un borde de 2 cm. Aparte cortar las manzanas bien finitas y colocarlas junto al zumo de limón y el azúcar en una cacerola tapada a fuego moderado hasta conseguir una compota seca. Dejar que se enfríe y cubrir la masa con este relleno. Seguidamente mezclar la mantequilla, harina, azúcar y canela hasta conseguir los grumos; cubrir la tarta y cocinar en horno caliente hasta que esté lista.

32. Dulces de zanahoria sin huevo y sin leche

INGREDIENTES

1KG DE ZANAHORIAS

CÁSCARA DE 2 NARANJAS RALLADAS

CÁSCARA DE 1 LIMÓN RALLADA

1 KG DE AZÚCAR

PREPARACIÓN

Trocear las zanahorias crudas y pelarlas muy finamente y agregar la naranja y el limón rallados. Poner todo en una cacerola con 2 pequeños vasos de agua. Cocer unas 2 horas revolviendo continuamente. Cuando la preparación adquiera un color café, retirar del fuego y dejar enfriar. Formar pequeñas bolitas y rodarlas en el azúcar. Dejar endurecer hasta el día siguiente.

33. Estrellas de azúcar

INGREDIENTES
500 G DE HARINA
50 G DE MANTEQUILLA
8 CUCHARADAS SOPERAS DE LECHE EN POLVO
1 CUCHARADA DE RON
1 CUCHARADA DE CÁSCARA DE LIMÓN RALLADA
1 PIZCA DE SAL
1 PIZCA DE BICARBONATO
ACEITE PARA FREÍR

PREPARACIÓN

Revolver la mantequilla con un tenedor hasta formar una crema. Colocar la harina en una fuente grande, formar un pocillo en el centro y colocar 3 cucharadas de azúcar, el ron, la leche en polvo, la sal, el bicarbonato, $1/3$ de vaso de agua y mezclar. Amasar y dejar formada una bola, envuelta en un paño durante 2 horas en el frigorífico. Luego estirar la masa dándole un dedo de espesor, y recortar con formas de estrella o de cualquier otra cosa. Freír las estrellas (el aceite debe cubrirlas), retirándolas cuando estén bien infladas. Estilar en papel absorbente. En un plato, colocar las 4 cucharadas de azúcar que faltan con la ralladura de limón, y cubrir las estrellas con esta mezcla. Servir tibio.

34. Torta de mermelada sin huevo, sin trigo, sin leche

INGREDIENTES

1 BOTE DE MERMELADADE FRESA O FRAMBUESA

250 G DE HARINA YOLANDA

125 G DE MARGARINA VEGETAL (SIN PROTEÍNAS DE LECHE)

50 G DE AZÚCAR

½ VASO DE AGUA

½ LIMÓN RALLADO

1 PIZCA DE SAL

PREPARACIÓN

Hacer un pequeño pozo en la harina, introducir el azúcar, el limón rallado, la margarina (cortada en dados) y la sal; amasar todo y agregar agua. Formar una bola que será colocada en el frigorífico durante 1 hora. Poner una hoja de papel sulfurizado en un molde de torta de 20 cm de diámetro (mejor aún, se puede usar una placa multimoldes –12 pequeñas tartaletas de 4 cm de diámetro–, ya que esta masa se desmenuza fácilmente). Guardar un tercio de la masa para las bandas decorativas. Extender la masa con los dedos en el molde. Perforarla con un tenedor. Cubrirla con mermelada, con un grosor de unos 5 mm. Con el resto de la masa haga pequeñas bandas de 1 cm de largo para hacer un enrejado sobre la mermelada. Calentar el horno a 220° C durante ½ hora. No sacar la torta de su molde hasta que se haya enfriado.

35. Helado de fresas y leche de coco o soja, sin huevo, sin trigo, sin leche

INGREDIENTES
2 TAZAS DE FRESAS CONGELADAS

½ TAZA DE AZÚCAR

½ TAZA DE LECHE DE COCO DILUIDA

¼ TAZA DE AGUA

PREPARACIÓN

En un recipiente grande, verter todos los ingredientes. Con ayuda de una batidora mezclar todo a fin de obtener una crema untuosa. Vaciar la mezcla en copas individuales. Colocar en el congelador 5 horas y servir.

36. Mermelada de zanahoria

INGREDIENTES
1 KG DE ZANAHORIAS

AZÚCAR: PESO EQUIVALENTE AL DE LAS ZANAHORIAS RASPADAS Y COCIDAS

1 VAINA DE VAINILLA

JUGO DE 1 NARANJA

JUGO DE 1 LIMÓN

1 VASO DEL AGUA DE COCCIÓN DE LAS ZANAHORIAS

PREPARACIÓN

Raspar las zanahorias para limpiarlas y luego cocinarlas hasta que se ablanden (20 minutos). Pisarlas y pesarlas. Agregar ese mismo peso en azúcar, colocando ambos ingredientes en una cacerola sobre el fuego. Añadir enseguida el jugo de naranjas y el de limón, la vainilla y el agua. Revolver continuamente sobre el fuego hasta que tome el punto de mermelada a fuego medio para evitar que se pegue al fondo del recipiente, al menos durante 1 hora. Embotar en botes esterilizados al baño María, llenándolos hasta el borde, y colocar boca abajo hasta que se enfríen.

37. Sorbete de azafrán

INGREDIENTES

½ L DE AGUA

4 CUCHARADAS DE AZÚCAR

UNAS HEBRAS DE AZAFRÁN

1 COPA DE CAVA O CHAMPAGNE

EL JUGO DE 1 LIMÓN

1 YOGUR DESNATADO

PREPARACIÓN

Hervir el agua con el azafrán y el azúcar hasta que esté totalmente desecho. Colar y dejar enfriar. Añadir el cava junto con el zumo de limón y el yogur al agua con azúcar y azafrán. Mezclar todos los ingredientes y batir. Meter en el congelador removiendo cada ½ hora. Servir en vaso de chupito.

38. Buñuelos de patata con frutas

INGREDIENTES

90 G DE HARINA DE MAÍZ

400 G DE PATATAS

1 SOBRE DE LEVADURA (16 G)

6 CUCHARADITAS DE MANTEQUILLA LIGERA

5 CL DE LECHE DESNATADA DE VACA O DE SOJA

3 CUCHARADAS DE EDULCORANTE LÍQUIDO

25 G DE FRUTAS CONFITADAS

6 CIRUELAS DE CALIFORNIA

SAL

PREPARACIÓN

Mezclar la harina, la levadura y una pizca de sal. Formar un cráter en el centro, verter en él la mantequilla derretida. Mezclar y verter progresivamente la leche tibia sin dejar de amasar, hasta obtener una masa compacta. Cubrir con una servilleta y dejar en reposo 1 hora. Pelar y cortar las patatas en trocitos, cocer al vapor durante 20 minutos. Hacer un puré y añadir edulcorante líquido. Precalentar el horno a 250° C. Unir vigorosamente el puré de patata y la masa. Dividirla en 2 partes; en la primera añadir trocitos de las frutas confitadas y en la segunda las ciruelas cortadas. Hacer 8 pequeñas bolas de cada parte y colocar en una bandeja de horno cubierta de la hoja de cocción. Hornear durante 15 minutos.

COCINA FÁCIL PARA ALÉRGICOS

39. Fondue de naranja y limón

INGREDIENTES

1 CUCHARADA DE HARINA

100 G DE AZÚCAR EN POLVO O GLAS

27,5 CL DE ZUMO DE NARANJA

RALLADURA DE LA CÁSCARA DE 1 NARANJA

EL ZUMO Y LA CÁSCARA RALLADA DE 1 LIMÓN GRANDE

4 CUCHARADAS DE MANTEQUILLA LIGHT FUNDIDA

2 CUCHARADAS DE MIEL

3 CUCHARADAS DE COINTREAU (OPCIONAL)

PREPARACIÓN

Poner el azúcar y la harina en un cazo de fondo grueso a fuego bajo y añadir poco a poco el zumo de naranja y de limón y la ralladura de la cáscara de las dos frutas. Calentar a fuego bajo, sin dejar de remover, hasta que espese; entonces retirar del fuego. Encender el hornillo de la fondue dejando sólo 2 agujeros abiertos. Echar la mantequilla fundida, la miel y el Cointreau en la salsa y batir todo bien. Volver a poner el cazo en el fuego y dejar 3-4 minutos, sin dejar de remover. Pasar la salsa al cazo de la fondue, ponerlo sobre el infiernillo y llevarlo a la mesa. Acompañar de trozos de fruta.

40. Trufas de chocolate

INGREDIENTES
1 TABLETA DE CHOCOLATE PARA FUNDIR
6 CUCHARADAS DE LECHE CONDENSADA
1 CUCHARADA DE MARGARINA
COLA-CAO

PREPARACIÓN

Se funde el chocolate con la leche condensada y la margarina. Dejar enfriar. Una vez frío y blando, tomar porciones con una cuchara, amasar las trufas y darles forma de bolitas, pasar por el Cola-Cao y servir en cazuelitas de papel.

41. Bolitas de coco y zanahoria

INGREDIENTES
¼ KG DE ZANAHORIAS
125 G DE AZÚCAR
125 G DE COCO

PREPARACIÓN

Limpiar, raspar y cocer las zanahorias; pasarlas por el pasapurés. Mezclar la zanahoria con el azúcar y el coco rallado; remover bien. Formar unas bolas (se puede emplear un vasito con una porción de coco rallado y darles vueltas, para que se formen). En moldes de papel rizado, colocamos las bolitas y servimos.

42. Tarta de queso

INGREDIENTES

250 G DE QUESO FRESCO

6 QUESITOS TIPO PETIT SUISSE

1 SOBRE DE GELATINA PARA DILUIR. ¡¡¡OJO, QUE NO SEA DE PESCADO!!!

10 O 12 GALLETAS TIPO MARÍA O INTEGRALES

2 CUCHARADAS DE MANTEQUILLA

PREPARACIÓN

Derretir la mantequilla y añadir las galletas desechas en migas (aplastadas o machacadas). Se mezcla bien hasta formar una pasta; las galletas deben quedar algo húmedas. Se extiende la pasta en un molde redondo, hasta que cubra la base, y se introduce en el congelador 10 minutos. Mezclar con la batidora el queso, los Petit Suisse y la gelatina previamente diluida en un ¼ l de agua caliente. Verter sobre la base de galletas e introducir en el congelador hasta que cuaje y esté lista para comer.

43. Gelatina de manzana

INGREDIENTES

3 KG DE MANZANAS

3 L DE AGUA

3 KG DE AZÚCAR

EL JUGO DE 6 LIMONES

PREPARACIÓN

Pelar y lavar las manzanas y cortarlas en cuartos sin los corazones; meterlas en una olla con 3 l de agua y cocerlas a fuego lento durante 1 hora, aproximadamente. Colar y vaciar en un recipiente, teniendo mucho cuidado de no aplastar las manzanas, dejando sólo pasar el agua. Incorporar a este jugo el azúcar; después, el jugo de los limones; más tarde, volver a ponerlo a calentar hasta que hierva. Bajar el fuego y dejar reposar el líquido durante 1 hora y 45 minutos, hasta que espese y obtenga la consistencia de un jarabe. Poner la mezcla en moldes y meterlos a enfriar durante 6 horas mínimo. Para hacer gelatinas de otros sabores se sigue el mismo procedimiento y proporciones con las frutas que se desee; se puede añadir 1 sobre de gelatina preparada en polvo para ayudar.

44. Mousse de naranja o de limón

Para 6 personas

INGREDIENTES

5 NARANJAS O 5 LIMONES

150 G DE AZÚCAR

25 G DE HARINA DE MAÍZ

100 CL DE LECHE DE VACA O DE SOJA

PREPARACIÓN

Mezclar el azúcar, la harina, la leche, la cáscara de 1 naranja y el jugo de 5 naranjas. Calentar a fuego lento y dejar espesar removiendo. Cuando logre consistencia, poner la mezcla a enfriar sin dejar de remover. Luego verter la mousse en una fuente o en copas individuales y dejarla en el frigorífico durante 3 horas para que adquiera consistencia. También se puede preparar esta mousse con limón, pero en ese caso hay que aumentar la cantidad de azúcar.

45. Pan de miel

INGREDIENTES

HARINA INTEGRAL

2 CUCHARADAS DE MIEL

1 VASO DE AGUA CON 2 CUCHARADITAS DE SAL DISUELTA

1 VASO DE LECHE

PREPARACIÓN

Se amasa poniendo la harina necesaria hasta obtener una masa consistente. Luego se trabaja bien, y cuando está suave y elástica, se separa en porciones para hacer panecillos del tamaño de un huevo, aplastándolos un poco para que se cuezan bien por dentro. Como no tiene levadura, no hace falta dejarlo reposar; acto seguido, se puede poner al horno a unos 220° C. Esta cocción puede durar, aproximadamente, 1 hora. Si estos panecillos de miel quieren hacerse con levadura resultan más blandos, pero en este caso debe dejarse reposar la masa al menos 1 hora en la nevera.

46. Pasta frita

INGREDIENTES

1 VASO DE AGUA TEMPLADA

1 CUCHARADITA DE SAL

HARINA INTEGRAL

AZÚCAR

PREPARACIÓN

Es un postre ideal para que ayuden los niños a elaborarlo y su preparación se convierta en un juego. Amasarlo todo hasta que quede bien consistente. Coger pequeñas porciones de dicha pasta y aplastarla con un rodillo hasta que quede una lámina muy fina. Freírlo con mucho aceite, y se observará que se hincha. Cuando estén bien dorados, escurrirlos y espolvorearlos con un poco de azúcar. Si en vez de agua se amasan con leche de vaca o soja, es mucho más bueno al paladar.

47. Tiramisú sin huevo

INGREDIENTES

1 BOTE DE NATA ESPESA DE 250 G

1 BOTE DE QUESO MASCARPONE O SIMILAR DE 250 G

75 G DE AZÚCAR. (OPTATIVO AZÚCAR VAINILLADA)

GALLETAS SIN HUEVO

1½ TAZA DE CAFÉ FRÍO CON 1 CUCHARADA DE AZÚCAR Y 3 DE COÑAC

CACAO EN POLVO (SIN AZÚCAR; MEJOR COMO EL DE LA MARCA VALOR)

¡¡¡CUIDADO CON LA NATA Y EL QUESO QUE NO LLEVEN HUEVO!!!

PREPARACIÓN

Mezclar ½ bote de nata aproximadamente con el azúcar y el azúcar vainillado, añadir el queso y batir bien a mano con dos tenedores o con la batidora de varilla. Poner una capa de galletas en el fondo del recipiente elegido y mojar con el café. Encima, poner la crema y luego cacao espolvoreado (vale con un colador). Volver a repetirlo hasta acabar con el cacao. Reposar unas 2 horas en la nevera.

Índice de recetas